LA CUISINE AVEC

les Yaourtières Crêpières, Gaufriers Sorbetières

Les enfants vont adorer ce livre de recettes !
Et avec eux, tous ceux et toutes celles qui ont su garder un coin rose ou bleu de leur âme d'enfant, surtout lorsqu'arrive le moment tant attendu du dessert...
Car, avouons-le, c'est d'abord par gourmandise que l'on décide d'acquérir (ou d'offrir à Maman) une sorbetière, une crêpière, un gaufrier, une yaourtière. Et aussi pour des raisons plus... raisonnables : santé et économie.
Quand vous faites vous-même vos yaourts ou vos crèmes glacées, vous savez ce que vous y mettez : rien que de bons produits venus directement de chez vos commerçants favoris, ou peut-être, mieux encore, de votre jardin : fraises, cassis, cerises, groseilles cueillies en famille. Quel excellent moyen de faire « manger » aux enfants le lait indispensable à leur croissance !
Sur le plan économique, ces appareils modernes sont un investissement intéressant. A condition de vous en servir assez souvent.
En effet, ce n'est qu'à partir du xième yaourt ou de la ennième gaufre que ceux-ci vous reviennent moins cher que si vous les achetiez dans le commerce. Et pour amortir votre crêpière ou votre sorbetière, vous devrez faire des crêpes plus souvent qu'à la Chandeleur et au Mardi Gras, et servir des glaces même quand il ne fait pas 30° à l'ombre ! Mais qui songerait à s'en plaindre ?
Seulement voilà, on est parfois un peu à court d'idées. Les crêpes, les yaourts, les gaufres et même les glaces et sorbets, on en a vite fait le tour... Eh bien détrompez-vous ! Ces ustensiles d'aujourd'hui ne sont pas faits pour engendrer la monotonie !
Et c'est pour le prouver que j'ai demandé à Christiane Coutau, une experte en gourmandises, d'écrire ce livre.

1

Avec elle, vous allez découvrir quelle mine de possibilités vous offrent vos « machines-à-desserts ».

Et pas seulement à desserts, justement... Votre yaourtière, par exemple, va devenir la pourvoyeuse de vos petits déjeuners, avec quelques idées très « nouvelle diététique » : un yaourt onctueux avec des céréales craquantes, voilà une alliance délectable qui est en même temps une provision de calories et de vitamines pour une matinée active. Et pour les autres repas de la journée, le yaourt remplace avantageusement la crème fraîche dans bien des plats salés : autant de gagné, ou plutôt de perdu, pour votre ligne !

Quant à votre sorbetière, elle ne va pas chômer ! Vous allez oser des mariages de saveurs un peu inhabituels, des associations entre crême glacées, pâtisserie et fruits, frais ou confits...

Même chose pour les crêpes. Christiane Coutau vous donne une foule de suggestions pour varier les plaisirs : crêpes salées ou sucrées, crêpes de froment ou galettes de sarrazin « à la mode de Bretagne », crêpes fourrées de fruits de mer ou de tous les fruits de la terre, y compris les plus exotiques, crêpes hors-d'œuvre, crêpes repas complet...

Et parmi les gaufres, connaissez-vous par exemple la « gaufrizza » ? C'est une gaufre de pâte salée que vous garnissez comme une pizza : il ne vous reste plus qu'à confectionner la garniture en fonction de la région d'Italie où vous souhaitez faire un bref voyage... gastronomique !

Sans oublier les croque-monsieur variés — une vingtaine au moins — qu'avec votre gaufrier vous pouvez réaliser. Je vous le dis, ce livre est tout plein d'idées...

Et bientôt, vous en inventerez de nouvelles. Puis votre mari, et pourquoi pas vos enfants, s'y mettront à leur tour... et c'est vous, qui, pour une fois, serez leur invitée.

Françoise Bernard

DESSERTS ET GOUTERS : LA GOURMANDISE ET LA SANTÉ.

L'ATTRAIT DU « SUCRÉ ».

« **M**ange ta soupe ou tu seras privé de dessert ! » Voilà ce que l'on entendait autrefois quand les mères, attentives à la discipline de la table familiale et à l'équilibre diététique de leurs petits consommateurs, cherchaient à faire part égale entre le plaisir et le devoir, entre l'accessoire et l'essentiel du repas.

Le dessert sucré, c'est le plaisir. Et ce plaisir n'est plus un accessoire, une concession à un caprice ni un péché mignon : on a découvert qu'il est aussi « éducatif » et nutritif que la bonne soupe et qu'il fait grandir les petits enfants aussi bien qu'elle !

La civilisation des nourritures douces n'a pas altéré, bien au contraire, la santé de nos nouvelles générations. On a découvert que si les « chères petites têtes blondes » ont envie d'aliments sucrés, c'est tout simplement qu'elles en ont besoin pour chauffer la machine à muscles !

Les mamans-gâteau ont bien raison, dans la mesure naturellement où leur sagesse instinctive les garde de ne pas abuser des meilleures choses : l'excès, on le sait, est toujours un défaut.

LES BIENFAITS ET LES EXCÈS.

Mettons à part les yaourts, véritables « remèdes miracles » naturels dont nous reparlerons : on ne saurait abuser d'un tel dessert. Parlons des sucreries, crêmes, entremets, pâtisseries, dont l'attrait excessif peut accroître déraisonnablement la consommation mais qui constituent, en eux-mêmes, un agent essentiel de la santé.

Sucres et farines apportent à l'organisme les glucides ou hydrates de carbone. Beurre et crême apportent les lipides, c'est-à-dire les graisses. Les uns et les autres sont les combustibles que l'organisme transformera en chaleur et en énergie motrice. L'alpiniste ou le champion cycliste consommeront du sucre pur. L'esquimau consommera la graisse du poisson qu'il pêche ou du gibier qu'il chasse. C'est sain et nécessaire.

L'abus de ces nourritures vitales, hautes en calories, n'apparaît que lorsque la consommation dépasse les besoins énergétiques et les possibilités d'élimination et se traduit par une tendance à l'obésité ou à un « encrassement » du système vasculaire. Il existe de véritables « drogués » des sucreries et des petits gâteaux... tout comme il existe de véritables « malades » de la privation, obsédés par la hantise du gramme ou de la calorie en trop. Entre ces deux extrêmes, il y a la multitude des bons-vivants-bien-portants, pour qui gourmandise n'est pas vice !

Ainsi sont tous les enfants ou presque. Ainsi êtes-vous aussi, souhaitons-le, chers parents !

Au bon vieux temps où les bonnes gens vivaient chichement, ignorant le sucre qui n'existait à l'état naturel que dans les fruits et le miel, croyez-vous qu'ils se portaient mieux que maintenant ? Pas du tout ! ... Ils étaient vieux à trente ans et leur taille était inférieure de vingt centimètres à celle de la génération de nos enfants...

LES « TEMPS FORTS » DE LA JOURNÉE.

Ce livre de recettes aidera les mères de famille, équipées de ces petits appareils-merveilles qui font le charme des cuisines d'aujourd'hui, à organiser et à varier ces menues fêtes quotidiennes que sont les desserts et le goûter.

Voilà des instants précieux. Au dessert la table se colore d'imprévu et de fantaisie, les appétits apaisés se distraient en dégustations raffinées, les enfants ont le droit de parler et de faire durer un peu la douceur de vivre...

Au goûter, ni protocole ni contrainte. C'est le moment qui récompense une journée bien remplie ; la détente après l'école ; la liberté de choisir ce que l'on va dévorer... et d'en redemander. C'est l'heure privilégiée du mercredi, où l'on invite les petits amis à venir constater que la maman d'ici est la meilleure du monde et que ses crêpes, ses gaufres, ses glaces valent bien celles du marchand (d'ailleurs à la maison c'est tellement plus amusant.)

DU DESSERT AU REPAS COMPLET.

L'irrésistible attrait des desserts, goûters et entremets peut être la source de souriantes idées pour tout un repas. Les recettes « électriques » que nous vous présentons dans ce livre consistent à « corser » la préparation de base devenue si simple à réaliser grâce aux petits appareils, avec des « enrichissements » culinaires variés, insolites, appétissants. La crêpe devient un repas complet, une pochette-surprise fourrée d'imprévu. La gaufre devient un plateau-repas que l'on croque avec le reste. Le yaourt devient l'ingrédient, beaucoup plus digeste qu'un corps gras, d'une cuisine et d'une pâtisserie d'un nouveau style, aux ressources inexplorées.

Le simple régal dont les enfants font une fête devient un thème de menu, jamais vu, pour toute la famille ou pour les invités, ravis d'être enfin étonnés.

Plus on lit de recettes, plus on peut en inventer d'autres : à vous d'imaginer, à partir des idées de ce livre, mille autre idées bien à vous !

ON DIT QUE LE YAOURT FAIT VIVRE CENT ANS GRACE A DEUX MICROBES BIENFAISANTS.

La « potion magique » existe : c'est le yaourt.

On en attribue l'origine aux anciens Bulgares, rudes pasteurs des montagnes. La pauvreté stimulant l'invention, ils avaient trouvé le moyen d'enrichir le lait de leurs troupeaux pour en faire un aliment complet, un remède universel contre toutes les maladies, une garantie de longue vie. Beaucoup, dit-on, devenaient centenaires...

QUE CONTIENT LE YAOURT ?

Le yaourt — ou yoghourt — est du lait, entier ou écrémé, coagulé et fermenté sous l'effet de deux bactéries vivantes : le streptocoque thermophile, qui lui donne son arôme et son liant, et le lactobacille bulgare, qui le rend typiquement acide et le « caille » légèrement.

Ces deux microbes actifs font une partie du travail de transformation des aliments opéré par le suc gastrique et la flore intestinale : le yaourt est un aliment « prédigéré », riche en acide lactique, qui s'assimile vite et bien et qui « profite » intégralement à l'organisme.

Mieux : les bactéries du yaourt aident puissamment tout le processus de digestion des autres aliments. Il est le catalyseur qui permet au corps de transformer le calcium en matière solide et vivante des os, ou de développer ses ferments naturels.

Le yaourt enrichit l'apport naturel de vitamines B, telle la vitamine Bl qui stimule l'assimilation des sucres, la vitamine B2 qui règle le métabolisme ou la vitamine B6 qui désarme la nocivité du cholestérol.

Tous les médecins recommandent la consommation quotidienne du yaourt aux enfants, aux convalescents, aux personnes menacées par un régime trop riche et aussi, d'une façon générale, aux bien-portants. Ils spécifient même le yaourt dans leurs ordonnances pour aider à la réussite d'un traitement aux antibiotiques et à la reprise de santé des malades qui y sont soumis.

DU BON LAIT, DU FERMENT...

Le principe de la préparation du yaourt est simple, l'opération pratique l'est moins.

Il suffit d'ajouter à du lait très pur, exempt de toute contamination, le ferment contenant les deux bactéries actives streptocoque thermophile et lactobacille bulgare, puis de maintenir le mélange à une certaine température (autour de 46°) pendant un certain temps (4 à 8 heures) : cette préparation s'avère fort délicate et difficile à réussir dans des récipients classiques.

L'apparition des yaourtières électriques automatiques et leur prix très modique ont ôté tout l'intérêt de ces procédés compliqués. Maintenant il suffit de préparer le mélange du lait et du ferment, de le verser dans les petits pots, de fermer la machine, d'appuyer sur un bouton... et c'est tout.

LES FERMENTS VENDUS EN POUDRE.

Les ferments du yaourt, préparés en poudre lyophilisée (c'est-à-dire desséchée à froid sous vide), sont vendus en pharmacie et dans les magasins spécialisés de diététique. Certains sont vendus par correspondance (comme YALACTA, BP 6022, 14001 Caen Cedex).

Il suffit d'ajouter une dose de poudre à un litre de lait, de bien mélanger, de verser le tout dans les pots et d'opérer. La première « cuvée » n'est pas toujours facile avec un ferment neuf, car celui-ci est peu actif. Son efficacité ne s'épanouira qu'à partir de la « deuxième génération », lorsque vous utiliserez comme ferment l'un des yaourts obtenus à la première cuvée, à celle-ci exigeant parfois un temps de fermentation supérieur à celui qui est indiqué. Ainsi de suite : de génération en génération, le ferment d'origine se transmet dans les yaourts qu'il « engendre ». Son efficacité s'affaiblit après dix ou quinze générations.

LES YAOURTS-MÈRES.

Vous pouvez parfaitement faire l'économie du ferment en poudre, en « greffant » simplement dans votre lait le contenu d'un pot de yaourt du commerce, qui contient tous les germes nécessaires à la fermentation et peut également faire souche en ensemençant plusieurs générations successives.

UNE SAVEUR « NATURE » OU « ENRICHIE ».

Les yaourts « faits par maman » sont les meilleurs, c'est évident. Leur piquant, leur « corsé », leur saveur, leur velouté ferme ou crémeux sont incomparables. Tous les additifs naturels : sucre, sirop, caramel, arômes concentrés, fruits écrasés ou entiers peuvent y être mélangés, soit avant la préparation, soit après.

Vous pouvez obtenir des yaourts encore plus riches en « dopant » le lait de quelques cuillerées à soupe de lait concentré en poudre ou de crème, avant la préparation. Alors vous découvrirez que le plus humble des laitages peut devenir un vrai régal.

LE MATÉRIEL : LA YAOURTIÈRE ÉLECTRIQUE AUTOMATIQUE :

ELLE « COUVE » SES PETITS POTS DANS UNE TIÉDEUR BIEN CALCULÉE.

La yaourtière électrique automatique est un appareil simple et pratique : c'est tout simplement un boîtier, fermé par un couvercle, dans lequel les pots de mélange lait + ferment se transforment en yaourt, à une température déterminée, régulière et parfaitement répartie.

Les pots livrés avec l'appareil sont en verre ou en céramique. Il est utile d'avoir deux ou plusieurs jeux de pots pour disposer d'une réserve de yaourts au réfrigérateur. Les pots supplémentaires sont fournis chez les distributeurs des marques d'appareils.

La chaleur est donnée par une résistance électrique, contrôlée par un régulateur à thermostat, interrompue par un minuteur après le temps de « couvée » nécessaire.

Deux systèmes de chauffage sont adoptés selon les marques : le chauffage continu, qui maintient la préparation à température constante pendant toute la durée de l'opération. La résistance est de très faible puissance : 10 à 20 W. La montée en température est lente et il est préférable de charger les pots avec un mélange tiédi d'avance.

L'autre système fait appel à une résistance de plus forte puissance (60 w à 120 w), qui élève la température rapidement la maintient à son plafond pendant une heure ou deux, puis se coupe automatiquement pour laisser la température redescendre doucement. La préparation est terminée après cinq ou six heures environ, mais les yaourts peuvent demeurer sans inconviénient dans l'appareil (toute la nuit, par exemple). Ce système permet de charger les pots avec le mélange froid.

◄ *500 000 yaourtières achetées par an.*
Principales marques : SEB, MOULINEX.
Autres marques connues : YALACTA, KRUPS, ROWENTA.

SEB

SEB propose une yaourtière automatique qui,
en quelques heures réalise huit délicieux yaourts
dans leurs petits pots en verre
à partir d'un litre de lait.
Sa consommation d'électricité est très faible (120 W),
il suffit de brancher l'appareil
et d'appuyer sur un bouton, une heure après,
la yaourtière s'arrête automatiquement ;
cinq heures plus tard, les yaourts sont faits !
Sa forme carrée permet un rangement très facile.

MOULINEX

Deux modèles de yaourtières chez MOULINEX :
La première est une yaourtière automatique
d'une puissance de 60 Watts
équipée d'une minuterie électronique.
La qualité des yaourts obtenus est le résultat
d'une montée en température rapide
(qui évite le développement de germes microbiens)
et d'une durée d'incubation optimum.
Le second modèle est une yaourtière programmable,
munie de deux leviers :
l'un pour faire varier le temps de fonctionnement,
l'autre pour faire varier la température.
Ainsi peut-on obtenir, en faisant varier les deux leviers
conjointement, toute une gamme de yaourts
de saveurs et de consistances différentes.

GLACES ET SORBETS.
...ET FONDRE DE PLAISIR !

UN LUXE RAFFINÉ.

Quand le confiseur du roi servait aux invités de la cour une crème glacée, quand Alexandre Dumas régalait sa joyeuse compagnie avec des menus si fabuleux qu'à l'entracte, séparant les services, on servait des sorbets (d'où le mot : entremets), ou quand nos grands-parents, pour fêter un grand événement, offraient une bombe glacée, croyez bien que c'était un luxe rare...

Pour produire du froid, savez-vous qu'il fallait faire venir à grand frais la glace d'hiver des lacs de montagne, la conserver toute une année, l'entreposer dans des glacières... la débiter et l'emporter à domicile avec assez de soin pour qu'il en reste encore à l'arrivée aux cuisines ? Les friandises glacées n'étaient pas à la portée de tout le monde !

Vers le début de ce siècle, des machines réussissaient à fabriquer des blocs de glace que l'on distribuait dans la ville : les restaurateurs, les pâtissiers, les particuliers pouvaient désormais posséder une glacière et se servir du froid artificiel pour leurs préparations.

Pour obtenir la température nécessaire, inférieure à 0°, il suffisait de faire fondre le pain de glace avec du sel, ce qui en abaissait le point de dégel jusqu'à 7° au-dessous de zéro : ce bain réfrigérant permettait la confection des desserts glacés.

UNE SPÉCIALITÉ DES PATISSIERS GLACIERS.

Avant que n'apparaissent les réfrigérateurs ménagers, discrètement entre les deux guerres et massivement dans tous les foyers à partir des années 50, la glace et le sorbet restent encore longtemps un plaisir que l'on s'offre « en ville » et qui prend un air de fête.

C'est la précieuse glace des dimanches, apportée dans sa caisse de liège de chez le fameux glacier italien ou de chez le pâtissier des beaux quartiers...

C'est le cornet que le glacier forain couronne d'une boule rose tendre et qui fond dans la main. Tous les enfants du jardin public ou de la plage reconnaissent de loin le chariot blanc à baldaquin, les couvercles nickelés, la cuiller ronde qui va puiser dans les délicieuses profondeurs de la petite voiture du marchand de bonheur.

L'ÈRE DES SURGELÉS.

La « chaîne du froid » qui permet de conserver sans aucun risque les aliments périssables de l'usine au camion et du magasin au réfrigérateur familial, a donné un essor considérable aux glaces industrielles, présentées en petits pots, en « esquimaux », en bûches glacées, en fruits givrés, etc.

La qualité régulière et la variété de ces délices glacées, distribuées par de grandes marques, sont appréciées à table aussi bien que dans la rue. Tous les magasins d'alimentation, de l'épicerie à la boulangerie, du stand forain au supermarché, en proposent un choix irrésistible...

Pourtant cette industrie n'a nullement réduit l'attrait des préparations « fraîches » du glacier, du restaurateur ou du pâtissier : les profiterolles où le chaud et le froid s'associent délicatement, les pâtisseries complexes où la glace n'est mise qu'au moment de servir, les coupes liégeoises ou viennoises, adorables constructions de sensations gustatives où la crème fraîche paraît tiède aux côtés de la crème glacée, restent des desserts de fête.

LES GLACES MAISON.

Voici la dernière révolution de cette savoureuse histoire : la glace que maman fait à la maison. Puisque tout le monde possède un réfrigérateur, muni d'un compartiment à glaçons, puisque les sorbetières électriques fonctionnent parfaitement et coûtent si peu, pourquoi s'en priverait-on ?

Désormais, la glace de longue conservation ou la glace du pâtissier ont affaire à une rivale sérieuse !

C'est la glace de saison, aux fruits frais du marché.

C'est la glace-invention, où tout ce qui est bon en dessert est bon à glacer : à chaque maman ses expériences et ses secrets...

C'est la glace de tous les jours, pas plus chère que ce que l'on prend dans le panier pour la faire. Vous pouvez vous permettre, sans grande dépense, d'être généreuse en ingrédients « nobles » : fruits, frais ou en extrait, crème fraîche, amande, noisette, chocolat... Ils ne vous coûteront que leur prix « direct d'épicerie ».

C'est la satisfaction de créer, toute seule, un dessert « à grand spectacle » et à grand succès.

LE MATÉRIEL.

L'art du maître-glacier consiste à remuer la préparation liquide ou crémeuse, à très basse température, jusqu'à ce qu'elle soit prise en gel : cette agitation transforme la crème en fins cristaux, comme de la neige, friables et déliés, prêts à fondre sous la cuiller ou dans la bouche.

Si la prise s'effectuait sans agitation, la glace serait un bloc compact, si dur qu'il faudrait servir... avec un marteau !

Tel est le principe de la sorbetière familiale : un moule, un petit moteur, des agitateurs qui brassent doucement la crème jusqu'à ce qu'elle soit prise. La basse température est celle du « freezer » dans lequel on fait tourner l'appareil : compartiment à glaçons d'un réfrigérateur ordinaire (-8° à -12°), d'un réfrigérateur-conservateur « trois étoiles » (-18°) ou d'un réfrigérateur-congélateur « quatre étoiles » (-30° environ).

L'alimentation électrique du moteur de la sorbetière est assurée par un cordon qui peut se brancher soit à l'intérieur du réfrigérateur (s'il est équipé d'une prise spéciale) soit à l'extérieur, en passant à travers le joint élastique de la porte.

Les agitateurs ne peuvent plus tourner dans la masse de glace dès que celle-ci est prise : les constructeurs de sorbetières proposent des agitateurs escamotables, qui se replient dès que la pâte offre une certaine résistance, ou des moteurs à arrêt automatique, qui cessent l'agitation dès que les agitateurs commencent à se bloquer.

200 000 sorbetières achetées par an. Principale marque : SEB. Autre marque connue : ASTORIA.

SEB

SEB propose deux modèles de sorbetières,
chacun d'une contenance d'un litre :
le modèle deux parfums (deux fois un demi-litre)
à arrêt automatique et un modèle pâtissier
qui permet de réaliser des présentations spectaculaires,
comme le pâtissier.
Ils sont tous deux dotés d'un système
de pales rétractables
ce qui est très pratique pour le démoulage :
lorsque la glace ou le sorbet prend,
les pales ne restent pas prises dans le mélange,
elles se relèvent automatiquement ;
au démoulage, la glace n'est pas abimée.
Le moteur excentré réduit au minimum l'encombrement
de la sorbetière dans le freezer
et permet un rangement très facile.
Chaque sorbetière est livrée avec un couvercle permettant
de protéger la glace lorsque vous la conservez au froid.

ASTORIA

Sorbetière électrique
à deux bacs.
Permet de confectionner
simultanément deux glaces
ou sorbets de parfums
et de consistances différentes.
Deux bacs ronds.
Capacité : deux fois 3/4 de litre.
Arrêt automatique indépendant
pour chaque batteur.
Coupure automatique
du courant.

LES CRÊPES :
UNE CHALEUREUSE
TRADITION.

Qui n'éprouve un plaisir enfantin et des souvenirs réjouissants lorsqu'on sert des crêpes ?

Pour les uns, c'est la crêpe que l'on commande au marchand de la rue, que l'on attend délicieusement en assistant à la préparation : la pâte crémeuse qui s'étale et s'épanouit en rond sur le fourneau ambulant, la fumée, la bonne odeur chaude, les doigts tout barbouillés et sucrés d'une gourmandise qui n'est pas un péché...

UN JEU SAVOUREUX.

Pour les autres, ce sont les crêpes de la maison, la poêle tenue de main de maître pour étaler la pâte, puis doucement agitée pour la décoller, prestement secouée pour réussir le saut périlleux et l'atterrissage de l'autre côté. Toute la famille est là, applaudit aux jolis coups, hue les essais maladroits. Chacun s'y met, pour tenter de prouver sa virtuosité. Les crêpes s'empilent sur l'assiette, avant l'onctueux et tiède festin : voilà qui « tient au corps » et nourrit un bon chrétien jusqu'à plus faim !

UNE PROMESSE D'ABONDANCE.

L'usage voulait que l'on tînt un louis d'or dans la main et chaque saut réussi promettait abondance d'argent pour toute l'année. Cela se passait à la Chandeleur, après la procession aux cierges : c'était la dernière fête des lumières de l'hiver, alors que les jours qui grandissent déjà annoncent que tous les espoirs sont permis. Tradition sacrée ou profane ? Les deux. La crêpe ronde et blonde qui cabriole en l'air est signe de soleil.

UN AIR DE GRANDES VACANCES.

Le plaisir des crêpes, c'est aussi la crêperie des vacances, sur le quai du port : crêpe au froment molle et douce, crêpe au sarrazin, fine et croustillante, vive la Bretagne et les Bretons ! La première crêpe en appelle une seconde, et le bol de cidre sec se vide aussi allègrement qu'on le remplit. On en a pour sa joie et pour son argent...

LES CRÊPES « ÉLECTRIQUES ».

La crêpière électrique, bien sûr, est un autre style. Mais la fête continue, et de plus belle ! Maintenant le « fourneau » est invité à table. La préparation fait partie du régal. Chaque convive, devenu chef pâtissier ou cuisinier, sert sa voisine ou son voisin en attendant son tour d'être servi. La jatte de pâte, la louche, la raclette à étaler font partie du couvert. Voilà une cérémonie sans protocole et parfaitement décontractée.

LE REPAS DE CRÊPES.

Tout est bon pour corser la crêpe, à condition que ce soit bon ! Timbale aux fruits de mer, saumon fumé, parmesan ou jambon... Sucre, miel, gelée de groseilles ou crême de marrons...

Tristes figures s'abstenir : l'ambiance est aussi animée que celle d'une fondue et toutes les inventions sont permises.

Le repas ou le dessert de crêpes peuvent naturellement être servis de façon plus classique : préparation à la cuisine et service dans un plat. La crêpière électrique vous y aidera : elle saisit et cuit les crêpes si vite et si facilement que vous vous épargnerez de la peine et du temps.

LES CRÊPES FACILES.

Certaines cuisinières, au demeurant excellentes, gardent la crainte de ne pas réussir à coup sûr leurs crêpes à la poêle. Elles ont tendance à coller (surtout les premières). Il est difficile de les détacher, de les retourner, elles se déchirent. Faut-il mettre plus d'huile, moins d'huile ? Est-ce la faute du lait ? La pâte a-t-elle la bonne épaisseur, est-elle assez reposée ?...

Quelquefois c'est la faute de la poêle, en métal nu ou émaillé, qui n'accepte que des pâtes préparées exactement selon les règles. Depuis plusieurs années, les poêles antiadhésives ont apporté un sérieux progrès.

Souvent c'est la température, difficile à apprécier et à régler. L'un des avantages de la crêpière électrique est de maintenir automatiquement la bonne température.

Surtout, c'est l'incertitude sur la composition et la préparation de la pâte : l'objet de ce livre est de vous donner des recettes sûres et éprouvées de pâtes à crêpes qui « marchent à tous les coups ».

Maintenant vous pouvez y aller, en toute confiance ! Vous avez la crêpière, vous avez les recettes, vous ne manquez plus une crêpe.

LE MATÉRIEL.

LES CRÊPIÈRES DE TABLE.

Un appareil tout simple : une plaque chauffante de fonte, une résistance (1000 watts environ) contrôlée par un thermostat, une carrosserie agréable, pas plus haute qu'un chauffe-plats. La crêpière fait partie du couvert de la table.

Laissez préchauffer quelques minutes. Humectez très légèrement d'huile (ce qui n'est même pas nécessaire si la plaque est émaillée d'un revêtement anti-adhésif). Puis procédez comme dans les crêperies traditionnelles ; la pâte, versée à la louche, est étalée sur la surface de la plaque chauffante avec une raclette, puis retournée avec une spatule dès qu'elle devient assez ferme et dorée pour se détacher.

Une ou deux minutes suffisent par crêpe, selon l'épaisseur et la quantité de la pâte que vous utilisez à chaque fois.

LA CRÊPIÈRE PLONGEANTE.

Une autre formule : ce n'est pas la pâte qui vient à la crêpière, c'est la crêpière qui va dans la pâte.

On dirait une « poêle à l'envers » par la forme... et par le fond. Au lieu d'être creuse, elle fait le dos rond. Ce dôme est la plaque chauffante. Prenez l'appareil par le manche, retournez-le pour le plonger dans la pâte. Trempez en effleurant, juste ce qu'il faut pour ne pas dépasser les bords. Reposez et laissez prendre la pâte. Dès que la crêpe est cuite d'un côté, détachez-la à la spatule et retournez-la pour dorer l'autre côté.

200 000 crêpières achetées par an.
Principales marques : TEFAL, KRUPS.
Autres marques connues : ROWENTA, SIMPAS.

TEFAL

Le Crêpier Tefal est un véritable crêpier de tables.
Il permet de réussir facilement de vrais repas
de crêpes en famille et entre amis.
Une grande plaque de cuisson antiadhésive,
entourée d'un rebord protecteur,
un rateau et une spatule pour étaler la pâte et
retourner les crêpes comme un professionnel !
Il est livré avec un cordon amovible.
Garantie un an.

KRUPS

Des crêpes savoureuses en un tour de main :
la crêpière suzette KRUPS prend toute seule
la bonne quantité de pâte.
Son excellente tenue en main permet
une manipulation aisée.
Le manche, en matière plastique, ne chauffe pas.
Une fois cuites, les crêpes se détachent facilement
de la plaque chauffante.
Et toute la pâte est utilisée grâce à la forme étudiée
de l'assiette en faïence livrée avec l'appareil.
L'enroulement de câble facilite le rangement.
220 V. 850 W. Jaune.

GAUFRES ET CROQUE-MONSIEUR. VOUS EN CROUSTILLEZ D'ENVIE

LES GAUFRES-MAISON.

L'attrait des gaufres n'est pas seulement dû à leur image de fête foraine et de gâterie improvisée que l'on s'offre dans la rue. Simplement, c'est bon, c'est joli, c'est amusant : une pâtisserie croustillante, légère, si grande qu'elle vous barbouille de sucre jusqu'aux oreilles et de crème jusqu'au bout de nez...

Il a fallu inventer le gaufrier électrique pour que les gaufres entrent à la maison. Maintenant elles font partie de la famille et les mamans-trois-étoiles découvrent la « pâtisserie-minute » à grand spectacle et tous les effets imprévus qu'elles peuvent en tirer !

Qu'y a-t-il de meilleur qu'une gaufre ? Tout ce que l'on peut mettre dessus, pour en faire un plat !

Qu'y a-t-il de plus sympathique qu'une gaufre ? C'est de la faire griller soi-même, à table, blonde ou brunie à volonté, et de la croquer toute chaude...

LE REPAS DE GAUFRES.

L'important c'est la pâte : il faut qu'elle soit préparée dans les règles et bien « reposée ». Vous lirez dans ce livre de recettes que la pâte à gaufres est différente de la pâte à crêpes. Elle gonfle en cuisant, pour remplir tous les reliefs du moule, et croustille en dorant, pour donner le plus léger des gâteaux : quelques grammes seulement. Pour la ligne soyez tranquilles : une gaufre fait plus d'impression par ses dimensions que de calories par son poids !

Profitez-en du commencement à la fin du repas, pour garnir vos gaufres de préparations hautes en saveur et en valeur... Une gaufre, c'est plein de « petits creux » à remplir délicieusement.

L'abc du plaisir de bien manger consiste à associer (en accord ou en contraste) non seulement les saveurs mais le « toucher » des aliments. La gaufre, bien rigide et bien sèche, s'allie à merveille avec les garnitures crémeuses, coulantes, fondantes. En cuisine, tout est fait de nuances...

24

LES CROQUE-MONSIEUR.

Les gaufriers électriques sont souvent des appareils polyvalents : par changement ou par inversion des moules, ils peuvent s'adapter à d'autres cuissons « sous presse ». Certains sont des grils double-face (voir le livre des Grillades, édité dans la même collection) d'autres sont des moules à croque-monsieur.

Le croque-monsieur est le type même du repas que l'on prend « sur le pouce » ou « sur le zinc » lorsqu'on est en ville, que l'on est économe et que l'on est pressé : un sandwich grillé, servi chaud, bien croustillant à l'extérieur, fondant à l'intérieur, débordant de fromage sur les bords. Avec un œuf dessus, c'est encore meilleur...

Un croque-monsieur ne supporte pas la médiocrité, le pain mou, râpeux, mal grillé, la garniture trop sèche, trop fade ou trop pauvre. Ce livre de recettes vous indiquera les plus riches façons d'accommoder savoureusement, moelleusement l'intérieur. Et votre appareil électrique vous donne le plus riche moyen de bien saisir le pain, en surface et à cœur.

L'appareil à double moule, agissant comme une presse chauffante, grille par contact : la surface est bien saisie en croûte et la chaleur se transmet bien à l'intérieur à travers le pain. Si vous beurrez légèrement le pain de mie avant de le mettre « sous presse », votre double toast sera rôti comme un croûton, croquant de plaisir sous le couteau et sous la dent...

Régalez-vous : les repas les plus simples sont souvent les meilleurs !

Le « croque » est un plat complet : faites-en un plaisir complet, en saveur et en relief. Mariez les qualités gustatives et sensitives du contenu et du contenant : aux tranches de pain de mie, fermes sous la dent, opposez l'onctuosité de la garniture en sauce. Les croque-monsieur, vous le verrez, méritent bien d'autres inventions que le fromage et le jambon !

LE MATÉRIEL.

Voici la boîte à malice : un socle, un couvercle articulé. Les deux parties forment une presse chauffante. Chacune est équipée d'une résistance électrique contrôlée par thermostat. Puissance totale : 1000 à 1200 w.

La carrosserie en métal laqué sera la bienvenue à table. Les poignées en matière isolante vous permettront de manipuler l'appareil sans vous brûler.

Les deux plaques-moules, en fonte, répartissent également la chaleur sur toute la surface. Elles sont généralement amovibles anti-adhésives pour le démoulage facile et le nettoyage, interchangeables pour les appareils multi-fonctions :

Gaufriers-grils (couvercle à double articulation pour des « pressages » d'épaisseur variable).

Gaufrier-croque-monsieur (couvercle jointif à simple articulation).

Ne vous méprenez pas ! Le gaufrier n'est pas un de ces gadgets qu'on offre et qu'on oublie, qui font trois petites fournées et puis s'en vont... dormir dans un placard. Pas du tout ! C'est un appareil vraiment utile, plein à croquer de bonnes idées. Invitez-le à table, découvrez sa mâchoire gourmande qui sourit de toutes ses dents : vous deviendrez inséparables !

350 000 appareils achetés par an.
Principale marque : TEFAL.
Autres marques connues : SIMPAS, QUIVABIEN.
Pour les grils-gaufriers : SEB, MOULINEX.

TEFAL

... Le Croque-gaufre ! Il réussit aussi bien
les gaufres que les croque-monsieur.
Il suffit pour cela d'utiliser selon les cas
l'un ou l'autre des deux jeux de plaques
appropriées, livrés avec l'appareil.
Vous avez même la possibilité d'adapter
un troisième jeu de plaques
- spécial gaufrettes.
Garantie un an.

SIMPAS

Gaufrier double avec moules en aluminium coulé sous pression pour une répartition rapide et uniforme de la chaleur. Température contrôlée par limiteur thermique. Possibilité d'adapter des jeux de moules interchangeables pour : gaufrettes, croque-monsieur, grille-viande.

MOULINEX SEB

Ces deux grille-viande deviennent, par simple changement du jeu de plaques de cuisson d'excellents gaufriers.

RECETTES

YAOURTS NATURE

Pour faire des yaourts dans une yaourtière automatique (la contenance des pots et donc leur nombre varie selon les marques), il vous faut :

— Un litre de lait :

- **de préférence stérilisé homogénéisé longue conservation, entier ou demi-écrémé** (pour des yaourts fermes et sans peau) ;

- **du lait pasteurisé, bouilli au préalable et refroidi** pour des yaourts plus crémeux) ;

- **du lait « cru »** (impérativement bouilli avant toute utilisation et refroidi) ;

- **du lait en poudre** (délayé dans de l'eau) pour des yaourts très onctueux.

Pour des yaourts très fermes, vous pouvez rajouter à chacun de ces laits, trois cuillères à café de lait en poudre.

— Un ferment en poudre (acheté chez le pharmacien),

— ou un yaourt nature.

A partir du ferment :

1. Dans un des pots de votre yaourtière, versez du lait (froid ou à température ambiante) jusqu'à la moitié du pot.

2. Ajoutez le ferment. Mélangez très soigneusement.

3. Versez le reste du litre de lait dans un récipient équipé d'un bec verseur.

4. Ajoutez le mélange lait et ferment. Remuez très soigneusement, pour que le ferment se répartisse bien.

5. Versez dans les pots.

6. Disposez les pots **ouverts** dans votre yaourtière.

7. Fermez la yaourtière.

8. Branchez, enclenchez en appuyant sur le bouton jusqu'à ce qu'il s'allume.

En général, à partir d'un ferment vous pourrez faire environ 15 « générations » en conservant chaque fois un yaourt pour faire les suivants.

YAOURTS NATURE

A partir d'un yaourt maison ou du commerce :

1. Dans un récipient équipé d'un bec verseur, mélangez un peu de lait et un yaourt.

2. Versez le reste du litre de lait et mélangez très soigneusement pour que le yaourt se répartisse bien.

3. Versez dans les pots.

4. Disposez les pots **ouverts** dans votre yaourtière.

5. Fermez la yaourtière.

6. Branchez, enclenchez en appuyant sur le bouton jusqu'à ce qu'il s'allume.

Remarques

Après 6 à 8 heures dans la yaourtière, vérifiez que les yaourts sont pris. Si ce n'est pas le cas, c'est que le ferment n'a pas eu le temps de se « réveiller » : il faut recommencer : rebrancher la yaourtière et attendre de nouveau.

Si le ferment est de bonne qualité, la réussite est assurée après le deuxième enclenchement.

Conservez un yaourt pour la génération suivante.

Qaund les yaourts sont faits, mettez les couvercles sur les pots, et les pots au réfrigérateur. Deux heures après, de délicieux yaourts frais sont prêts à consommer.

Vous pouvez sucrer vos yaourts, soit au moment de les déguster, soit avant de les préparer, en ajoutant le sucre au lait en même temps que le ferment ou le yaourt, et en battant au fouet pour qu'il fonde bien.

Vous pouvez aussi aromatiser vos yaourts, avant ou après, avec des sirops de fruits, de fleurs, de menthe, du miel liquide, du sirop d'érable, des extraits de fruits, des essences aromatiques (amande amère - cannelle liquide - vanille) des aromates en poudre (vanille - cannelle - gingembre), du chocolat, du café, du caramel...

(Avec les composants en poudre, il est recommandé de battre le yaourt avec une cuillère au moment de la consommation).

YAOURTS A LA CONFITURE

Très facile
Bon marché
Préparation : 5 mn

■ **1 l de lait froid**
■ **1 yaourt nature ou 1 sachet de ferment**
■ **4 cuil. à soupe de marmelade d'oranges**

1. Fouettez la confiture avec un peu de lait dans une jatte à bec verseur.

2. Ajoutez le yaourt ou le ferment.

3. Mélangez bien, puis versez le reste du lait en continuant à mélanger et versez dans les pots.

4. Placez les pots dans la yaourtière.

5. Procédez comme pour faire les yaourts nature.

Variante :

Avec toutes les confitures pas trop épaisses et contenant des petits morceaux de fruits — avec toutes les gelées de fruits (en faisant fondre préalablement la gelée à feu très doux) — avec des fruits en petits morceaux, cuits avec 2 cuillères à soupe de sucre et refroidis, tels que 12 abricots, 2 bananes, 16 pruneaux.

YAOURTS AUX FRAISES

Très facile
Raisonnable
Préparation : 5 mn

- 1 l de lait froid
- 1 yaourt nature ou 1 sachet de ferment
- 30 grosses fraises coupées en 4
- 4 cuil. à soupe de sirop de fraise
- 1 citron non traité

Remarque :

Selon les années et les fruits, les fruits frais peuvent contenir beaucoup d'acide, ce qui tue les ferments et empêche la réussite du yaourt. Dans ce cas, introduire les fruits frais dans le yaourt déjà pris, ou bien cuire les fruits.

1. Lavez, équeutez et égouttez les fraises. Coupez-les en 4 si elles sont grosses, en 2 si elles sont petites.

2. Battez le yaourt ou le ferment, délayé dans un peu de lait, au fouet dans une jatte à bec verseur. Ajoutez petit à petit le lait' et le sirop et versez dans les pots, sans les remplir complètement.

3. Répartissez les fraises dans les pots.

4. Ajoutez un demi-zeste de citron râpé dans chaque pot.

5. Placez les pots dans la yaourtière. Procédez comme pour faire les yaourts nature.

Variante :

Avec des fraises des bois, des framboises, 2 tranches d'ananas, 4 mandarines, 1 orange...

CAKE AU YAOURT

Facile
Bon marché
Préparation : 10 mn

POUR 4 PERSONNES :

- **1 yaourt nature (le pot sert de mesure)**
- **1 pot de sucre en poudre**
- **1 1/2 pot de farine tamisée**
- **1 pot d'huile**
- **2 œufs**
- **1 paquet de levure chimique**
- **1 paquet de sucre vanillé**
- **1 zeste de citron**

1. Versez tous les ingrédients dans une terrine, la farine d'abord, le sucre en poudre, la levure, le sucre vanillé, l'huile, les œufs, le yaourt, le zeste de citron.

2. Mélangez bien le tout soit au fouet à main (et passez au chinois pour éviter les grumeaux), soit au mixeur (le mélange est parfaitement homogène).

3. Cuire à four moyen 50 mn (départ à four froid).

4. Démoulez le gâteau tiède. Servez saupoudré de sucre glace.

Variante :

Vous pouvez incorporer à la pâte des raisins secs, que vous aurez préalablement fait gonfler dans du rhum, des fruits confits macérés également dans du rhum, l'aromatiser de cannelle...

CANAPÉS AU THON ET AU PAPRIKA

Très facile
Bon marché
Préparation : 10 mn

- 1 l de yaourt nature
- 350 g de thon nature émietté
- paprika
- 1 citron

1. Pilez finement le thon pour le réduire en purée.

2. Incorporez petit à petit, avec une fourchette, la purée de thon dans le yaourt.

3. Salez. Ajoutez le paprika ainsi que du jus de citron à votre goût.

4. Tartinez des tranches de pain de mie, fraîches ou grillées, découpées en petites parts pour servir à l'apéritif.

5. Décorez avec un petit morceau de tomate ou de citron.

Variantes :

Vous pouvez ajouter deux petits suisses ou de la crème fraîche et du jus de citron au mélange de yaourt et de thon et le servir très frais, comme des rillettes, dans une petite terrine, décoré avec des cornichons.

Mais vous pouvez aussi mélanger au yaourt du saumon fumé, des crevettes, des anchois, un reste de chair de volaille hachée.

CLAFOUTIS AUX CERISES

Facile
Raisonnable
Préparation : 15 mn

POUR 6 PERSONNES :

- 1 yaourt nature
- 750 g de cerises noires
- 250 g de farine tamisée
- 200 g de sucre semoule
- 1/4 de litre de lait
- 8 œufs
- 30 g de beurre fondu
- 1 pincée de sel
- sucre glace

1. Lavez les cerises. Équeutez-les et dénoyautez-les. Passez-les quelques minutes au four.

2. Rangez-les dans un moule à gratin bien beurré et saupoudré de sucre semoule.

3. Séparez les jaunes des blancs d'œufs. Mélangez les jaunes avec la farine. Ajoutez le beurre fondu.

4. Mélangez à part le yaourt, le sucre semoule et le sel.

5. Battez les blancs d'œufs en neige.

6. Faites tiédir le lait.

7. Réunissez peu à peu les deux mélanges, jaunes d'œufs et yaourt puis le lait tiède, ensuite les blancs d'œufs en neige en travaillant la pâte pour qu'elle soit homogène et plus épaisse qu'une pâte à crêpes. Vous pouvez la passer au chinois pour éviter les grumeaux.

8. Versez-la régulièrement sur les cerises.

9. Faites cuire 40 mn à four moyen (th. 5-6), départ à four chaud (th. 8).

10. A la sortie du four, saupoudrez de sucre glace. Mangez tiède.

Variante :

Vous pouvez faire le clafoutis en remplaçant les cerises par 500 g de pruneaux trempés dans du rhum, 750 g de pommes ou de poires épluchées et coupées en morceaux.

COCKTAIL AUX FRUITS MÉLANGÉS ET AU YAOURT

Très facile
Bon marché
Préparation : 5 mn

POUR 4 PERSONNES :

- 1 yaourt nature
- 3/4 de l de lait
- 1 jaune d'œuf
- 4 cuil. à soupe de macédoine de fruits
- 2 cuil. à soupe de confiture de fruits rouges

1. Mélangez tous les ingrédients au mixeur.

2. Mettez 2 heures au réfrigérateur avant de servir.

Variante :

Sans mixeur, battez simplement le jaune d'œuf avec du sirop (3 cuillères à soupe) de groseille, ajoutez le yaourt, puis le lait.

CRÈME GLACÉE A L'ORANGE

Facile
Bon marché
Préparation : 10 mn

- 1 l de yaourt nature
- 3 oranges non traitées
- 1 paquet de sucre vanillé
- 300 g de sucre en poudre
- 1 blanc d'œuf

1. Battez les yaourts au fouet avec le zeste de 2 oranges, puis le jus des 3 oranges.

2. Montez les blancs d'œufs en neige avec le sucre.

3. Incorporez-les au mélange de yaourt et de jus d'oranges.

4. Fouettez bien, versez dans votre sorbetière.

5. Faites glacer.

6. Quand la crème est prise, démoulez le sorbet et placez-le dans les oranges évidées.

7. Décorez avec de la crème chantilly.

Variante :

Vous pouvez remplacer les oranges par des citrons, des mandarines, des pamplemousses, des purées de fruits (abricots, fraises...) (1/4 de litre pour 1 litre de yaourt).
Aromatisez à votre goût de rhum, vanille, kirsch....

CRÊPES AU YAOURT

Facile
Bon marché
Préparation : 15 mn

POUR 24 CRÊPES :

- **1 yaourt nature**
- **250 g de farine tamisée**
- **3 œufs**
- **1/4 de l de lait + 2 dl d'eau**
- **2 cuil. à soupe d'huile**
- **1/2 cuil. à café de sel**
- **2 cuil. à soupe de sucre semoule**
- **1 parfum au choix (rhum, kirsch, vanille...)**
- **garniture au choix**

1. Mettez la farine tamisée dans une terrine évasée assez haute et faites un puits au centre.

2. Dans le puits, mettez les œufs entiers, battus en omelette. Mélangez-les à la farine avec un fouet à sauce, en incorporant petit à petit le mélange eau et lait.

3. Battez quelques minutes pour que la pâte soit parfaitement lisse. Incorporez le yaourt.

4. Ajoutez alors l'huile, le sel, le parfum et le sucre et battez à nouveau pour bien répartir tous les ingrédients dans la pâte qui doit être fluide, mais onctueuse.

5. Vous pouvez l'utiliser immédiatement, mais si elle peut reposer une heure, les crêpes seront plus parfumées.

6. Faites cuire les crêpes sur votre crêpière électrique.

Servez-les brûlantes, saupoudrées de sucre ou tartinées de confiture.

ESCALOPES DE DINDE

Facile
Raisonnable
Préparation : 15 mn

POUR 4 PERSONNES :

- 1 yaourt nature
- 4 escalopes de dinde
- 8 tranches de jambon cuit
- 8 tranches de gruyère
- 1 œuf
- 1 verre de vin blanc sec
- 50 g de beurre
- 1 cuil. à soupe de persil haché
- sel
- poivre

1. Faites fondre le beurre dans un poêlon, mettez-y les escalopes. Laissez revenir pendant 15 mn en les retournant.

2. Beurrez un plat à gratin. Disposez les escalopes, puis le jambon, puis le fromage.

3. Déglacez le poêlon avec le vin blanc. Laissez bouillir quelques minutes.

4. Battez le yaourt avec le persil haché. Incorporez progressivement au vin blanc. Ajoutez 1 cuillère à café de maïzena pour empêcher le yaourt de se défaire si la sauce vient à ébullition.

5. Salez, poivrez.

6. Versez sur les escalopes. Faites gratiner 15 mn à four chaud (th. 8/9).

FIGUES AU YAOURT

Très facile
Raisonnable
Préparation : 10 mn

POUR 6 PERSONNES :

- 1 l de yaourt nature
- 12 figues
- 2 cuil. à soupe de cognac
- 100 g de sucre semoule

1. Dans une terrine, mélangez le yaourt, le cognac et le sucre.

2. Lavez les figues et découpez-les en quartiers.

3. Mettez les figues dans des coupes et nappez de sauce au yaourt.

4. Servez très frais.

FLOCONS D'AVOINE AU YAOURT

Très facile
Bon marché
Préparation : 5 mn

PAR PERSONNE :

- 1 yaourt nature ou parfumé
- 1/4 de tasse de flocons d'avoine
- 1 pomme
- 1/2 verre de jus d'orange sucré

1. Dans une grande tasse, alternez en couches superposées les flocons d'avoine, la pomme coupée en petits dés.

2. Versez le jus d'orange.

3. Laissez reposer 1 heure au frais.

4. Servez nappé de yaourt bien battu.

Variantes :

Vous pouvez remplacer la pomme par de l'ananas ou de la banane en rondelles, de la pêche, de la poire, des abricots, des groseilles, des framboises, des mûres... ou un mélange de fruits, et le jus d'orange par du lait. On peut ajouter du miel ou du sirop pour sucrer le mélange.

Vous pouvez aussi déguster immédiatement les flocons d'avoine sans laisser reposer, en mélangeant bien tous les composants.

GAUFRES AU YAOURT

Facile
Bon marché
Préparation : 20 mn

POUR 12 GAUFRES :

- 2 yaourts nature
- 250 g de farine tamisée
- 2 œufs
- 100 g de beurre
- 3 dl de lait tiède
- 1 sachet de levure chimique
- 150 g de sucre semoule
- 1/2 cuil. à café de sel

1. Mettez la farine dans une terrine. Faites un puits. Ajoutez au centre le sucre, le sel et les œufs entiers.

2. Délayez en ajoutant peu à peu le lait à peine tiède.

3. Ajoutez la levure, le beurre mou et les yaourts. Mélangez bien pour obtenir une pâte homogène.

4. Versez la pâte avec une louche pour remplir complètement une plaque du gaufrier. Refermez l'appareil. Basculez celui-ci pour permettre à la pâte de bien s'étaler. Laissez cuire 3 mn.

Servez les gaufres brûlantes, saupoudrées de sucre glace ou de miel liquide.

GOULASH DE PORC

Facile
Raisonnable
Préparation : 2 h 30

POUR 4 PERSONNES :

■ 3 yaourts nature
■ 1,200 kg d'échine ou
d'épaule coupée en dés
■ 50 g de beurre
■ 4 oignons
■ 4 tomates
■ 1 poivron
■ 4 pommes de terre
■ 1 cuil. à soupe de
concentré de tomate
■ 1 cuil. à soupe de
paprika
■ 1 gousse d'ail
■ 1 l de consommé de
volaille
■ 1 citron
■ bouquet garni
■ sel
■ poivre

1. Égouttez les yaourts dans une mousseline.

2. Épluchez les pommes de terre et cuisez-les à l'eau bouillante salée. Elles ne doivent pas se défaire. Coupez-les chacune en 4.

3. Ébouillantez les tomates. Épluchez-les. Otez les pépins. Coupez-les en petits morceaux.

4. Lavez et épépinez le poivron. Coupez-le en fines lanières.

5. Dans un poêlon, faites fondre le beurre et faites revenir les oignons hachés. Laissez blondir. Ajoutez l'ail haché. Remuez jusqu'à ce que l'ail blondisse.

6. Retirez le poêlon du feu. Ajoutez le paprika. Mélangez bien. Ajoutez la viande, faites-la dorer et versez le consommé. Salez. Poivrez. Ajoutez le bouquet garni et le concentré de tomate.

7. Portez à ébullition. Couvrez et baissez le feu. Faites mijoter 1 heure environ jusqu'à ce que la viande soit tendre.

8. Ajoutez le poivron, puis les tomates et terminez la cuisson sans couvercle, 20 mn environ.

9. Ajoutez les pommes de terre. Laissez cuire 10 mn à feu moyen.

10. Battez les yaourts avec 2 cuillères à soupe de jus de citron et servez cette sauce à part en même temps que la goulash.

GRILLADES AU YAOURT

Facile
Cher
Préparation : 2 h
+ 10 mn de cuisson

POUR 6 PERSONNES :

- 4 yaourts nature
- 6 tranches de contrefilet
- 1 tasse de persil haché
- 80 g de beurre
- sel, poivre

1. Faites macérer deux heures à l'avance le persil dans le yaourt légèrement salé et poivré.

2. Faites les grillades à la poêle ou au gril, à votre goût pour la cuisson.

3. Posez-les dans un plat de service. Couvrez-les largement de sauce au yaourt, chauffée sans bouillir, au moment de l'emploi.

Variante :

Vous pouvez servir les grillades sur des petites pommes de terre rissolées. La sauce accompagne délicatement les légumes.

LASSI
(Boisson des Indes)

Facile
Bon marché
Préparation : 5 mn

POUR 4 PERSONNES :

- 3 yaourts nature
- 6 tasses d'eau glacée
- 4 cuil. à soupe de miel liquide
- 1 pincée de muscade
- 1 cuil. à soupe d'eau de rose
- 1 pincée de poivre de Cayenne

1. Mélangez au mixeur, eau, yaourts, muscade et miel jusqu'à ce que la boisson soit bien homogène. Si vous n'avez pas de mixeur, battez vigoureusement avec un fouet à sauce.

2. Aromatisez d'eau de rose. Ajoutez le poivre de Cayenne.

3. Mettez au réfrigérateur pendant 2 ou 3 heures avant de servir.

MACÉDOINE DE FRUITS AU YAOURT

Facile
Raisonnable
Préparation : 10 mn

POUR 4 PERSONNES :

- **2 yaourts nature**
- **300 g de fruits rouges,** (cerises, fraises, framboises)
- **2 bananes**
- **1 pomme**
- **1/2 ananas frais**
- **2 pêches**
- **1 citron**
- **100 g de raisins**
- **250 g de sucre en poudre**
- **2 blancs d'œufs**
- **2 cuil. à soupe d'amandes effilées**

1. Lavez, épluchez, équeutez, dénoyautez les fruits. Coupez-les en dés.

2. Versez-les dans un saladier.

3. Ajoutez le jus de citron et la moitié du sucre.

4. Remuez et mettez une heure au réfrigérateur.

5. Battez les blancs d'œufs en neige. Mélangez-les délicatement avec les yaourts et le reste de sucre.

6. Nappez les fruits de cette mousse.

7. Parsemez le dessus d'amandes effilées préalablement grillées et remettez 1/2 heure au réfrigérateur avant de servir.

Variantes :

Tous les fruits frais et en conserve peuvent s'accommoder en macédoine selon la saison.

La macédoine peut être remplacée par des pommes finement râpées, arrosées de jus de citron (pour les empêcher de noircir), saupoudrées de sucre et servies nappées de yaourt battu.

MERVEILLES AU YAOURT

Facile
Bon marché
Préparation : 15 mn

■ 1 yaourt nature
■ 200 g de farine
■ 3 œufs
■ 1/4 de l d'eau
■ 1 pincée de sel
■ 1 bain de friture
■ des fruits à enrober dans
les beignets
■ sucre en poudre

1. Préparez la pâte comme celle des crêpes (voir recette p. 50). Elle doit être assez épaisse.

2. Laissez macérer les fruits (pommes, ananas, bananes, pêches, abricots...) dans du rhum sucré ou dans du kirsch. Égouttez-les et essuyez-les avant de les plonger dans la pâte. Si les fruits ne sont pas bien séchés, la pâte « n'accroche » pas.

3. Trempez les fruits dans la pâte puis jetez-les dans la friture chaude. Les beignets tombent au fond, puis remontent et gonflent.

4. Dès qu'ils sont dorés, retirez-les avec une écumoire. Égouttez-les et posez-les sur du papier absorbant. Servez-les saupoudrés de sucre glace.

Variante :

Vous pouvez aromatiser les beignets, avec ou sans fruits à l'intérieur, selon votre goût avec de la cannelle, de la muscade...

MILK SHAKE YAOURT

Pour réaliser un milk-shake, il vous faut être équipé d'un mixeur.

Très facile
Bon marché
Préparation : 3 mn

POUR 4 PERSONNES :

- 1 yaourt nature ou parfumé
- 3/4 de l de lait
- 1 cuil. à soupe de jus de citron
- 4 cuil. à soupe de poudre d'amandes
- 2 ou 3 gouttes d'amande amère liquide
- sucre selon votre goût

1. Passez au mixeur tous les ingrédients.

2. Mettez 1 à 2 heures au réfrigérateur.

Variante :

Vous pouvez remplacer les amandes par 1 banane ou par du sirop de cassis ou de groseille, en supprimant le jus de citron...

MOUSSAKA D'ÉPINARDS

Facile
Bon marché
Préparation et cuisson : 1 h

POUR 4 PERSONNES :

- 4 yaourts nature
- 1 kg d'épinards
- 1 fenouil
- 2 gousses d'ail
- 2 œufs
- 200 g de beurre
- 1/2 citron
- 10 g de maïzena
- paprika
- sel
- poivre

1. Lavez et faites cuire les épinards 10 mn dans de l'eau bouillante salée.

2. Hachez-les.

3. Lavez et hachez menu le fenouil. Hachez finement l'ail.

4. Faites un roux blond au yaourt. Mettez au bain-marie ou à feu très doux dans une petite casserole les jaunes d'œufs, le sel, le paprika, le jus de citron. Tournez avec un fouet jusqu'à ce que la sauce épaississe. Otez du feu. Ajoutez la maïzena, puis 100 g de beurre en petits morceaux. Remettez la sauce au bain-marie. Terminez avec les yaourts battus que vous mélangerez bien.

5. Dans un plat beurré allant au four, faites cuire dans la sauce, les épinards et le fenouil quelques minutes. Rectifiez l'assaisonnement. Servez décoré de rondelles d'œuf dur.

Variante :

Tous les légumes de saison peuvent se préparer en moussaka.

MOUSSE DE BANANES AU YAOURT

Facile
Bon marché
Préparation : 15 mn

POUR 4 PERSONNES :

- 3 yaourts nature
- 4 bananes moyennes
- 1 orange non traitée
- 1 citron non traité
- 100 g de sucre en poudre
- 2 cuil. à soupe de rhum brun
- 1 cuil. à soupe de raisins de Corinthe

1. Faites tremper les raisins une heure dans une cuillère à soupe de rhum.

2. Coupez à part une banane en fines rondelles. Arrosez-les du jus d'un demi-citron et de la seconde cuillère de rhum. Écrasez à la fourchette pour obtenir une purée.

3. Lavez le citron et l'orange, râpez la peau pour obtenir 2 cuillères à café de zeste.

4. Faites une purée à la fourchette des trois bananes restantes dans un saladier. Ajoutez le sucre en poudre.

5. Battez les yaourts avec le jus de l'orange et le jus du demi citron. Ajoutez les zestes, les raisins et le rhum. Incorporez à la purée de bananes.

6. Décorez avec les rondelles de bananes et les raisins réservés au début de la recette. Faites glacer 2 heures au réfrigérateur avant de servir.

Variante :

Vous pouvez remplacer la purée de bananes par de la compote de pommes ou de poires.

MOUSSE DE FRAISES AU YAOURT

Facile
Raisonnable
Préparation : 10 mn

POUR 4 PERSONNES :

- **2 yaourts nature**
- **400 g de fraises**
- **100 g de sucre**
- **1/2 citron**

1. Passez les fraises lavées et équeutées au mixeur ou au presse-purée.

2. Mélangez la purée de fraises avec le sucre et le jus de citron.

3. Incorporez le mélange aux yaourts.

4. Mettez 2 heures dans le freezer du réfrigérateur avant de servir.

5. Présentez la mousse dans des coupes, décorée de fraises entières.

Variantes :

Vous pouvez remplacer les fraises par des framboises, des myrtilles.
Vous pouvez napper la mousse de crème fraîche fouettée.

MUESLI AU YAOURT

Très facile
Raisonnable
Préparation : 5 mn

PAR PERSONNE :

- 1/2 pot de yaourt nature
- 2 cuil. à soupe de muesli*
- 1 cuil. à soupe de jus de citron
- 2 cuil. à soupe de miel liquide
- 1 banane
- 1 cuil. à soupe de cerneaux de noix

1. Ajoutez au muesli* (mélange de flocons d'avoine et de fruits secs que l'on trouve dans les magasins spécialisés ou les rayons diététique des grands magasins) le miel, le jus de citron et le yaourt. Remuez bien.

2. Épluchez la banane, coupez-la en rondelles dans le mélange, continuez à remuer.

3. Saupoudrez des cerneaux de noix. Mangez immédiatement.

Variante :

Cette recette délicieuse pour le petit déjeuner peut se préparer avec les différents fruits de saison et on peut remplacer le jus de citron par du lait. On peut aussi rajouter de la crème fraîche pour le rendre très nourrissant, remplacer un repas.

ŒUFS BROUILLÉS AUX YAOURTS

Difficile ·
Raisonnable
Préparation : 10 mn
+ 15 mn

POUR 6 PERSONNES :

- **3 yaourts nature**
- **6 œufs**
- **250 g de champignons de Paris**
- **sel, poivre**
- **60 g de beurre**

1. Coupez le bout terreux des champignons, lavez-les. Épongez-les.

2. Mettez-les à cuire à la poêle avec 30 g de beurre. Salez, poivrez. Laissez-les rissoler doucement.

3. Versez les œufs dans une casserole à fond épais où le reste du beurre est fondu. Salez, poivrez. Remuez au fouet à feu très doux jusqu'à ce que les œufs deviennent une crème.

4. Ajoutez les yaourts et continuez à remuer jusqu'à ce que la crème soit épaisse, sans coller au fond. La cuisson prend environ 15 mn. Les œufs brouillés sont cuits lorsqu'ils ne s'étalent pas en tombant de la cuillère.

5. Ajoutez les champignons.

Variantes :

Vous pouvez ajouter aux œufs brouillés, des pointes d'asperges, du fromage...

80

ŒUFS EN COCOTTE

Très facile
Bon marché
Préparation : 5 mn

POUR 4 PERSONNES :

- 1 yaourt nature
- 8 œufs
- 50 g de beurre
- 1 cuil. à soupe de persil ou de ciboulette
- sel
- poivre
- 1 pointe de muscade

1. Hachez le persil après l'avoir lavé et épongé.

2. Battez ensemble le yaourt et le persil.

3. Cassez les œufs, 2 par 2, dans 4 ramequins beurrés.

4. Déposez les ramequins dans un plat à feu (ou dans la lèche-frites) avec un peu d'eau.

5. Après 2 ou 3 minutes, quand les blancs ont commencé à prendre, répartissez le yaourt et le persil mélangés dans les ramequins.

6. Salez, poivrez, ajoutez la pointe de muscade.

7. Remettez à four chaud (th. 8-9) 2 à 3 minutes jusqu'à ce que le blanc soit pris.

OMELETTE LÉGÈRE SUCRÉE AU YAOURT

Facile
Bon marché
Préparation : 15 mn

POUR 4 PERSONNES :

- **1 yaourt nature**
- **8 œufs**
- **20 g de beurre + 1 cuil. à soupe d'huile d'arachide**
- **1 cuil. à soupe de menthe hachée**
- **1 pincée de sel**
- **100 g de sucre semoule**

1. Cassez les œufs dans une terrine. Ajoutez le yaourt, la menthe lavée et hachée et la pincée de sel, ainsi que le sucre. Battez fortement au fouet pour obtenir un mélange mousseux.

2. Faites fondre le mélange beurre + huile dans une grande poêle. Lorsqu'il est bien chaud, versez les œufs battus, laissez cuire à feu vif, en soulevant la masse de manière à faire prendre les endroits encore liquides d'une façon régulière. Baissez ensuite le feu et laissez cuire à feu doux 3 à 5 mn.

3. Pliez l'omelette en deux. Servez bien chaud, saupoudrez de sucre et décorez avec des feuilles de menthe.

Variante :

Vous pouvez faire cette omelette salée avec des fines herbes (estragon, persil, ciboulette).

POMMES DE TERRE AU FROMAGE BLANC

Très facile
Bon marché
Préparation : 30 mn

POUR 4 PERSONNES :

- **1 yaourt nature**
- **4 grosses pommes de terre**
- **175 g de fromage blanc**
- **ciboulette et persil hachés**
- **sel**
- **poivre**

1. Lavez les pommes de terre.

2. Faites-les cuire sans les éplucher à l'eau ou au four. Coupez-les en deux horizontalement. Creusez-les légèrement.

3. Faites une farce en battant le fromage blanc et le yaourt. Salez, poivrez. Ajoutez les herbes hachées.

4. Remplissez l'intérieur des pommes de terre.

5. Décorez avec du persil haché.

6. Repassez quelques minutes au four pour servir bien chaud.

Variante :

Vous pouvez remplacer le fromage blanc par du roquefort mélangé dans un peu de lait pour le rendre plus crémeux. Décorez alors avec des cerneaux de noix.

POTAGE RUSSE BORCHTCH

Facile
Raisonnable
Préparation : 3 h

POUR 4 PERSONNES :

Bouillon de bœuf :
- 500 g de macreuse de bœuf
- os à moelle
- 2,5 l d'eau
- 1 bouquet garni
- 2 oignons
- 2 carottes
- 1 cœur de céleri
- 2 tomates
- sel

Potage :
- 2 yaourts nature
- 2 tomates
- 500 g de betteraves
- 1 navet
- 1 céleri-rave
- 2 pommes de terre
- 200 g de chou
- 2 poireaux
- 2 gousses d'ail
- 2 cuil. à soupe de beurre
- 2 cuil. à soupe de vinaigre
- 1/2 cuil. à café de sucre
- sel
- poivre
- 1 citron

1. Épluchez les carottes et les tomates (après les avoir ébouillantées pour que la peau s'enlève plus facilement).

2. Mettez dans une marmite le bœuf et les os, l'eau froide. Amenez à ébullition.

3. Écumez.

4. Ajoutez les oignons coupés en 4, les légumes en morceaux, le bouquet garni.

5. Salez.

6. Laissez cuire 1h30 environ jusqu'à ce que la viande soit tendre.

1. Ébouillantez les tomates pour les éplucher. Coupez-les en deux. Épluchez les betteraves, le navet, le céleri-rave. Hachez-les en gros morceaux.

2. Épluchez les pommes de terre et coupez-les en dés. Émincez le chou. Coupez les poireaux en petits morceaux.

3. Écrasez l'ail et faites-le revenir dans un grand poêlon avec le beurre. Ajoutez les betteraves, le céleri-rave, les navets, les tomates, le vinaigre, le sucre.

4. Mouillez de bouillon. Couvrez. Laissez mijoter une heure.

5. Dans le reste de bouillon porté à ébullition, ajoutez le chou et les pommes de terre. Faites cuire à découvert jusqu'à ce que les pommes de terre soient tendres. Ajoutez ces légumes et le bouillon à la soupe de betteraves.

6. Ajoutez la viande de bœuf. Poivrez. Salez si nécessaire. Continuez la cuisson environ 1/2 heure à feu moyen.

7. Servez séparément les yaourts battus avec le jus de citron.

RAGOUT DE BŒUF STROGANOF

Facile
Cher
Préparation : 45 mn

POUR 4 PERSONNES :

- 3 yaourts nature
- 800 g de filet de bœuf
- 200 g de champignons de Paris
- 6 oignons
- 4 cuil. à soupe d'huile
- 1 cuil. à soupe de moutarde
- 1 cuil. à soupe de persil haché
- 1 citron
- sel
- poivre
- persil

1. Coupez la viande en lanières.

2. Retirez la partie terreuse du pied. Lavez les champignons. Égouttez-les et coupez-les en minces tranches.

3. Mélangez la moutarde, le sel et un verre d'eau.

4. Faites chauffer 2 cuillères d'huile dans un poêlon. Ajoutez les oignons hachés et les champignons. Laissez mijoter très doucement pendant 1/2 heure.

5. Sortez les légumes avec une écumoire et déposez-les sur un plat.

6. Faites revenir la viande dans le même poêlon en rajoutant les deux cuillères d'huile restantes.

7. Ajoutez les oignons et les champignons, puis le mélange de moutarde. Poivrez.

8. Laissez mijoter quelques minutes à découvert.

9. Battez les yaourts avec le jus de citron. Versez dans le poêlon. Terminez la cuisson (2 à 3 mn) à petit feu, sans laisser bouillir, pour que le yaourt ne se décompose pas.

10. Servez saupoudré de persil haché.

SALADE GLACÉE AUX CONCOMBRES

Très facile
Bon marché
Préparation : 10 mn

POUR 4 PERSONNES :

- **6 yaourts nature**
- **1 concombre moyen**
- **4 tomates bien fermes**
- **3 gousses d'ail**
- **3 cuil. à soupe d'oignon haché menu**
- **1 cuil. à café de sel**
- **1 cuil. à soupe de poivre**
- **2 cuil. à soupe de menthe fraîche ou ciboulette ou cerfeuil ou coriandre**
- **3 cuil. à soupe de cerneaux de noix**

1. Lavez bien le concombre. Il est inutile de l'éplucher. Coupez-le en fines rondelles, que vous recoupez en 4.

2. Lavez les tomates. Coupez-les en deux horizontalement et pressez-les pour extraire les graines. Divisez-les en petits dés.

3. Hachez menu l'oignon et la menthe bien lavée et bien essorée.

4. Dans un saladier, battez les yaourts au fouet, ajoutez les concombres, les tomates, l'oignon, les herbes, sel et poivre.

5. Mélangez le tout délicatement. Vérifiez l'assaisonnement et décorez avec des cerneaux de noix.

6. Couvrez et faites glacer la salade au réfrigérateur pendant 2 heures au moins avant de la servir.

Variante :

Vous pouvez remplacer les cerneaux de noix par de fines rondelles de concombre et ajouter au mélange des noix moulues.

SALADE D'ORANGES AU YAOURT

Très facile
Bon marché
Préparation : 15 mn

POUR 6 PERSONNES :

- 4 yaourts nature
- 1 livre d'oranges
- 100 g de cerneaux de noix
- 50 g d'amandes effilées
- 50 g de sucre semoule

1. Épluchez les oranges à vif. Coupez-les en quartiers.

2. Enlevez la coquille des noix. Jetez les noix dans l'eau bouillante puis dans l'eau froide pour enlever la peau brune, si vous les avez achetées fraîches et entières.

3. Dans une terrine, mélangez yaourts et sucre semoule.

4. Ajoutez les tranches d'oranges et les noix. Mélangez doucement et saupoudrez d'amandes effilées.

5. Mettez la salade au frais avant de la servir.

Variantes :

Vous pouvez faire cette salade sans sucre pour une entrée en ajoutant du maïs en grains, du pamplemousse et des feuilles de salade verte romaine.

Mélangez les yaourts avec sel et poivre et un jus de citron.

SAUCES AU YAOURT

Très facile
Bon marché
Préparation : 5 mn

Pour assaisonner les concombres :

- 1 yaourt nature
- 1 gousse d'ail pilée
- 1 cuil. à soupe de persil, de menthe ou de ciboulette hachée
- le jus d'un demi citron
- sel,
- poivre

Pour assaisonner les champignons de Paris :

- 1 yaourt nature
- 1 cuil. à soupe de jus de citron
- 1 petit oignon
- 1/2 cuil. à café de moutarde forte
- sel
- poivre

1. Dans un saladier, mélangez bien tous les ingrédients.

2. Salez, poivrez.

3. Ajoutez la sauce aux concombres découpés en fines rondelles. Remuez. Faites rafraîchir.

1. Coupez l'oignon en anneaux.

2. Dans un saladier, mélangez le yaourt battu avec le jus de citron, la moutarde. Salez, poivrez. Faites refroidir une heure.

3. Complétez avec l'oignon au moment de servir.

4. Ajoutez les champignons émincés (vous les aurez lavés au préalable et aurez retiré les queues terreuses). Remuez. Servez.

Variante :

Ces sauces peuvent servir d'assaisonnement à des salades de pommes de terre, de tomates, de laitue, d'haricots verts, de poivrons, d'épinards...

SPAGHETTI A LA CARBONARA

Facile
Bon marché
Préparation : 15 mn

POUR 4 PERSONNES :

- 1 yaourt nature
- 400 g de spaghetti
- 100 g de lard fumé
- 2 œufs
- 1 cuil. à soupe d'huile d'olive
- 1/2 gousse d'ail écrasée
- piment
- sel
- poivre
- 50 g de parmesan râpé

1. Coupez le lard en très petits dés. Faites-le dorer dans une cocotte assez grande dans un peu d'huile avec l'ail écrasé. Dès que cette dernière prend couleur, retirez-la.

2. Battez les œufs en omelette. Incorporez-les au yaourt. Ajoutez le sel et le poivre.

3. Faites cuire les spaghetti dans une très grande quantité d'eau bouillante salée (2 l), additionnée d'une cuillère à soupe d'huile. Faites-les cuire « al dente », environ 6 à 8 mn.

4. Égouttez et versez les spaghetti dans la cocotte où se trouvent les lardons. Mélangez bien et rapidement. Versez très vite le mélange œufs/yaourt qui cuit avec la chaleur. Servez immédiatement saupoudré de parmesan.

TABOULÉ LIBANAIS

Facile
Bon marché
Préparation : 15 mn

POUR 4 PERSONNES :

- 1 yaourt nature
- 6 cuil. à soupe de blé concassé (boulghour vendu dans les magasins de diététique ou les rayons spécialisés des grands magasins)
- 2 tomates mûres
- 1 concombre
- 4 cuil. à soupe de persil haché
- 2 cuil. à soupe de menthe hachée
- 1 oignon
- 50 g d'échalotes
- 2 cuil. à soupe d'huile d'olive
- 1 citron
- sel
- poivre

1. Faites tremper le boulghour une heure dans de l'eau froide. Égouttez parfaitement.

2. Épluchez le concombre et râpez-le. Épluchez les tomates (après les avoir ébouillantées). Hachez-les finement.

3. Hachez les légumes, les échalotes, l'oignon, le persil, la menthe très finement.

4. Mélangez le tout avec le boulghour dans un saladier.

5. Ajoutez l'huile, le jus de citron et le yaourt en remuant bien. Salez, poivrez.

6. Mettez 2 ou 3 heures au réfrigérateur avant de servir.

Variante :

Vous pouvez réaliser la même recette avec du riz cuit.

TOMATES AU ROQUEFORT

Facile
Bon marché
Préparation : 10 mn

POUR 4 PERSONNES :

- 2 yaourts nature
- 4 grosses tomates
- 60 g de roquefort
- 1 œuf dur
- 1 petite branche de céleri
- des feuilles de laitue
- sel
- poivre

1. Lavez les tomates. Enlevez le chapeau et creusez-les pour enlever une partie de la chair. Salez l'intérieur et retournez-les pour qu'elles se vident bien.

2. Hachez finement le céleri et l'œuf dur. Râpez le roquefort. Faites une farce en mélangeant le céleri, l'œuf, le roquefort et les yaourts. Poivrez. Mettez au frais une heure ou deux.

3. Garnissez les tomates avec la farce et servez sur des feuilles de laitue.

BASE GLACE VANILLE

Facile
Bon marché
Préparation : 1 h
+ froid

Pour 1/2 litre de glace :

- **2,5 dl de lait (1/4 de l de lait)**
- **100 g de sucre semoule**
- **3 jaunes d'œufs**
- **1,5 dl de crème fraîche non acide**
- **1/2 gousse de vanille**

Toutes les recettes de glaces sont à base de crème anglaise dont on varie le parfum à volonté. Celles que nous vous proposons dans les pages suivantes utilisent les mêmes composants, lait, sucre, œufs, crème et la même technique de base que la glace à la vanille. C'est pourquoi nous décrivons très précisément cette recette, à laquelle nous nous reporterons dans les pages suivantes.

1. Faites bouillir le lait avec la moitié du sucre, et la moitié de la gousse de vanille fendue dans la longueur.

2. Dès l'ébullition commencée, enlevez la casserole du feu et laissez infuser la vanille pendant 10 mn, à couvert.

3. Fouettez, avec un batteur à vitesse moyenne, les jaunes d'œufs avec la moitié du sucre restant pour obtenir un mélange blanc et mousseux.

4. Remettez le lait vanillé sur le feu.

5. Lorsque le lait est bouillant, versez-en un peu sur les jaunes d'œufs battus avec le sucre et fouettez vigoureusement.

6. Versez alors le mélange obtenu dans la casserole de lait, placée sur feu doux et remuez sans arrêt avec la spatule de bois.

7. La crème obtenue ne doit surtout pas bouillir. Surveillez attentivement sa cuisson. Dès qu'elle commence à épaissir, soulevez la spatule à l'horizontale, et avec l'index faites un trait qui reste marqué nettement quand la crème est prise.

8. Retirez du feu, enlevez la vanille et ajoutez la crème fraîche en tournant sans arrêt.

9. Faites refroidir 30 mn environ la préparation, en la remuant à la spatule de bois de temps en temps, afin d'éviter la formation d'une pellicule.

10. Versez alors dans la sorbetière.

11. Placez la sorbetière dans le tiroir à glace du réfrigérateur réglé au plus froid, ou au congélateur, et branchez-la.

NOS CONSEILS : selon le goût, vous pouvez modifier, en la diminuant, la quantité de crème fraîche. Il faut alors augmenter proportionnellement la quantité de lait.

Si au cours de la cuisson la crème tourne, fouettez-la vivement au batteur en ajoutant tout de suite une cuillère de lait froid.

BASE GLACE CHOCOLAT : CHOCOLAT-VANILLE

(pour sorbetière deux parfums)

Facile
Bon marché
Préparation : 1 h
+ froid

Pour 1/2 litre de glace vanille :

- **2,5 dl de lait (1/4 de l)**
- **100 g de sucre semoule**
- **3 jaunes d'œufs**
- **1,5 dl de crème fraîche non acide**
- **1/2 gousse de vanille**

Pour 1/2 litre de glace chocolat :

- **3,5 dl de lait**
- **100 g de sucre semoule**
- **3 jaunes d'œufs**
- **1,5 dl de crème fraîche**
- **40 g de cacao amer**
- **1/2 gousse de vanille**

La glace à la vanille (recette p. 104) :

1. Préparez votre crème de base à la vanille. Versez-la dans un des moules de la sorbetière.

La glace au chocolat :

2. Préparez la même crème de base que celle de la glace à la vanille.

3. Mettez le cacao dans une grande terrine.

4. Dès que la crème de base est terminée, versez-la cuillère par cuillère, sur le cacao, sans cesser de tourner, de manière à obtenir une crème lisse.

5. Laissez-la refroidir 30 mn avant de la verser dans le 2e moule de la sorbetière.

Quand les glaces sont prises :

6. Façonnez des boules de vanille et de chocolat et saupoudrez de chocolat râpé et de petits morceaux d'amandes.

7. Remettez très vite le plat dans le freezer jusqu'au moment de le servir.

NOTE : si vous avez une sorbetière, un parfum, préparez d'abord la glace à la vanille, que vous conserverez dans un récipient bien fermé, soit dans le freezer, (quelques heures) soit dans un congélateur (plusieurs jours).

GLACE AUX AMANDES

Facile
Bon marché
Préparation : 1 h
+ froid

Pour 1/2 litre de glace à la vanille :

- **2,5 dl de lait (1/4 de l de lait)**
- **100 g de sucre semoule**
- **3 jaunes d'œufs**
- **1,5 dl de crème fraîche non acide**
- **1/2 gousse de vanille**

Pour le parfum aux amandes :

- **2 cuil. à café d'extrait de café**
- **60 g d'amandes en poudre**
- **100 g de sucre semoule**

1. Préparez la crème de base de la glace à la vanille (recette p. 104).

2. Faites bouillir le lait, avec la moitié du sucre et la poudre d'amandes. Laissez infuser 15 mn.

3. Délayez les jaunes d'œufs au sucre restant jusqu'à ce que le mélange devienne blanc et mousseux.

4. Sur le mélange, versez petit à petit le lait aux amandes.

5. Remettez la casserole sur feu doux en remuant sans arrêt, jusqu'à ce que le mélange épaississe et nappe la spatule. Rappelez-vous que le mélange ne doit pas bouillir.

6. Fouettez la crème fraîche et incorporez-la à la crème aux amandes en tournant sans arrêt.

7. Laissez refroidir 30 mn. Mettez en sorbetière.

8. Au moment de servir, décorez avec des amandes légèrement grillées et à volonté de crème Chantilly (recette p. 112).

NOS CONSEILS :
- Pour démouler la glace, trempez le moule 10 secondes dans de l'eau tiède (30° environ) en veillant à ce qu'elle ne déborde pas sur la glace. Essuyez le moule et retournez-le sur le plat de service.

- Replacez immédiatement la glace démoulée dans le freezer, si elle doit attendre même quelques minutes.

- Vous pouvez conservez une glace pendant 15 jours au congélateur, en la laissant dans un moule bien fermé.

GLACE ANANAS SURPRISE

Facile-long
Raisonnable
Préparation : 1 h 15
+ froid

Pour un ananas moyen :

1/2 litre de glace à la vanille :
- **2,5 dl de lait (1/4 de l de lait)**
- **100 g de sucre semoule**
- **3 jaunes d'œufs**
- **1,5 dl de crème fraîche non acide**
- **1/2 gousse de vanille**

Pour la garniture et le parfum :

- **1 ananas frais de taille moyenne, bien mûr**
- **50 g de sucre semoule**
- **2 cuil. à soupe de rhum**
- **50 g de crème Chantilly (recette p. 112)**

1. Préparez la crème de base de la glace à la vanille (recette p. 104).

2. Pendant ce temps coupez l'ananas en deux, en prenant soin de couper délicatement le panache en deux également. *(1)*.

3. Avec un couteau à pamplemousse, retirez la chair d'une moitié d'ananas, éliminez le centre dur et fibreux et écrasez la pulpe restante en purée fine. Réservez la 2e moitié du fruit. *(2)*.

4. Incorporez délicatement la purée d'ananas à la crème de base lorsqu'elle est refroidie, versez le tout dans la sorbetière et mettez au freezer.

5. Coupez le reste de la chair de l'ananas en petits cubes que vous ferez macérer au réfrigérateur avec le rhum et le sucre. Mettez également les 2 écorces d'ananas au réfrigérateur.*(3)*

6. Quand la glace est prise, placez les deux écorces sur un lit de glaçons dans le plat de service.

7. Remplissez-les de glace à l'ananas et répartissez par moitié les cubes d'ananas. Décorez, à volonté, avec un peu de crème Chantilly.

NOTE : Les sorbetières de ménage facilitent la réalisation des glaces, des sorbets et des parfaits, mais ne vous étonnez pas de ne pas obtenir exactement la même présentation que celle d'un pâtissier professionnel qui utilise un matériel plus sophistiqué et qui, travaillant sur des quantités importantes, obtient une émulsion plus crémeuse et plus homogène. Cela dit, après quelques essais, vous réussirez parfaitement les recettes que nous vous proposons, parce que vous aurez mesuré le temps qu'il faut à votre réfrigérateur pour la congélation, temps qui dépend de l'appareil dont vous disposez.

(1)

(2)

(3)

GLACE CAFÉ SAUCE CHOCOLAT

Facile
Bon marché
Préparation : 1 h
+ froid

Pour 1/2 litre de glace au café :

- 2,5 dl de lait
- 150 g de sucre semoule
- 3 jaunes d'œufs
- 1,5 dl de crème fraîche non acide
- 2 cuil. à soupe de café soluble ou
40 g de grains de café broyés gros

Pour la sauce chocolat :

- 100 g de chocolat fondant
- 1/2 verre d'eau
- 20 g de beurre

Pour la crème Chantilly :

- 1 dl de crème fraîche (80 g environ)
- 2 cuil. à soupe de lait
- 15 g de sucre glace (1,5 cuil. à soupe)

Pour la garniture :

- 100 g de grains de café à la liqueur

La glace au café :

1. Broyez, assez gros, les grains de café et mettez-les (ou le café soluble) dans le lait sucré avec la moitié du sucre.

2. Faites bouillir, puis laissez infuser à couvert pendant 10 mn, et hors du feu.

3. Si vous avez utilisé du café en grains, passez le lait au chinois, et remettez-le à chauffer tout doucement.

4. Fouettez avec un batteur à vitesse moyenne, les jaunes d'œufs avec la moitié restante de sucre jusqu'au moment où le mélange devient blanc et mousseux.

5. Replacez sur le feu le lait parfumé au café et, lorsqu'il est bouillant, versez-en un peu sur les jaunes d'œufs et avec un fouet électrique ou à sauce, fouettez vigoureusement.

6. Versez alors le mélange obtenu dans la casserole de lait placée sur feu doux, et remuez sans arrêt avec la spatule de bois, jusqu'à ce que la crème soit prise (votre index doit rester marqué sur la spatule recouverte de crème).

7. Retirez du feu et ajoutez alors la crème fraîche en tournant pour bien la répartir.

8. Laissez refroidir 30 mn, en remuant de temps en temps, avec la spatule pour éviter la formation d'une pellicule.

9. Versez en sorbetière et mettez au freezer.

La crème Chantilly :

10. Mettez tous les ingrédients ainsi que les bols et les fouets du batteur au congélateur pendant 20 mn ou 1 h dans le réfrigérateur.

11. Quand le temps de refroidissement est passé, battez à grande vitesse, la crème, le lait et le sucre. Le mélange doit augmenter de volume, et au bout de 5 mn épaissir et former des vagues.

12. Arrêtez de fouetter, utilisez la Chantilly immédiatement.

La sauce chocolat :

13. Faites fondre le chocolat dans un 1/2 verre d'eau, à feu doux. Quand le chocolat est complètement fondu, ajoutez 20 g de beurre, détaillé en petits morceaux. Remuez bien. Servez chaud.

14. Quand la glace est prise, démoulez-la ; arrosez de sauce au chocolat et décorez avec des grains de café à la liqueur et de la crème Chantilly.

GLACE CARAMEL

Facile
Bon marché
Préparation : 1 h 05
+ froid

Pour 1/2 litre de glace à la
vanille :

■ 2,5 dl de lait (1/4 de l de
lait)
■ 100 g de sucre semoule
■ 3 jaunes d'œufs
■ 1,5 dl de crème fraîche
■ 1/2 gousse de vanille

Pour le parfum et la
garniture :

■ 2 dl de sauce au caramel
préparée avec :
■ 125 g de sucre semoule
■ 1 dl 1/4 de crème fraîche
■ crème Chantilly
(facultatif)

1. Préparez la crème de base de la glace à la vanille (recette p. 104).

Préparez un caramel cuit à sec :
2. Mettez le 1/4 du sucre semoule dans une grande casserole posée sur feu doux, la chaleur se répartissant ainsi également sur tout le fond.

3. Remuez sans arrêt avec une spatule en grattant le fond. Dès que le sucre est liquide, continuez d'ajouter par quart, le sucre restant, sans cesser de remuer, jusqu'à ce qu'il n'y ait plus de grumeaux (compter 5 mn).

4. Enlevez du feu dès que le caramel est devenu roux clair.

5. Faites bouillir la crème fraîche dans une autre casserole et incorporez-la petit à petit au caramel.

6. En refroidissant, cette sauce épaissit. Vous pouvez l'allonger avec un peu de lait bouilli froid.
Elle se conserve plusieurs jours au réfrigérateur, dans un bol hermétique. Cette sauce très parfumée peut être utilisée pour tous vos entremets glacés ou non.

7. Démoulez la glace à la vanille, façonnez des boules ou des cubes, que vous répartirez dans des coupes, arrosez de caramel liquide.

GLACE AUX CERISES

Facile
Raisonnable ·
Préparation : 1 h
+ froid

Pour 1/2 litre de glace à la vanille :

■ 2,5 dl de lait (1/4 de l de lait)
■ 100 g de sucre semoule
■ 3 jaunes d'œufs
■ 1,5 dl de crème fraîche non acide
■ 1/2 gousse de vanille

Pour la garniture et le parfum :

■ 250 g de cerises
■ 60 g de sucre
■ 1 dl de kirsch
■ 150 g de crème Chantilly (recette p. 112)

1. Lavez, équeutez et dénoyautez les cerises. Faites-les macérer avec le sucre et le kirsch, à couvert, pendant 1/2 journée.

2. Préparez la crème de base de la glace à la vanille (recette p. 104).

3. Quand la crème de base est refroidie, ajoutez le jus de macération des cerises, en remuant bien, ainsi que la moitié des cerises grossièrement hachées.

4. Versez dans la sorbetière et mettez au freezer.

5. Démoulez la glace sur le plat de service, en recouvrant le dessus de la glace avec les cerises restantes macérées au kirsch, et de la crème Chantilly.

GLACE CHOCOLAT LIÉGEOIS

Facile
Bon marché
Préparation : 1 h 05
+ froid

Pour une coupe :

- 2 boules de glace au chocolat
- 2 cuil. à soupe de cacao en poudre
- 1/2 dl d'eau et de lait mélangés

Pour le décor

crème Chantilly :
- 2 dl de crème fraîche (*)
- 4 cuil. à soupe de lait
- 3 cuil. à soupe de sucre glace
- copeaux de chocolat

1. Préparez une glace au chocolat selon la recette de base (p. 106) à froid.

2. Mélangez à froid le cacao avec l'eau ou le lait.

3. Préparez une crème Chantilly, selon la recette (p. 112).

4. Dans chaque coupe mettez deux boules de glace au chocolat, et arrosez-les de chocolat froid.

5. Décorez abondamment chaque coupe de crème Chantilly et parsemez de copeaux de chocolat, râpé avec l'épluche-légumes.

(*) Utilisez de préférence la crème fouettée (UHT), elle est beaucoup plus facile à monter en Chantilly. Dans ce cas, n'utilisez pas de lait.

Note : Pour façonner des boules, si vous n'avez pas de cuillère spéciale, utilisez deux cuillères à soupe.

GLACE CHOCOLAT SAUCE ORANGE

Facile
Raisonnable
Préparation : 1 h
+ froid
+ 5 mn pour la sauce

Pour 1/2 litre de glace au chocolat :

- 4 dl de lait
- 100 g de sucre semoule
- 3 jaunes d'œufs
- 30 g de cacao amer en poudre ou 60 g de chocolat à cuire

Pour la sauce à l'orange et la garniture :

- 1/2 pot de marmelade d'oranges
- le jus d'une orange
- 1 cuil. à soupe de liqueur d'orange ou de curaçao
- grains de chocolat ou chocolat râpé

1. Préparez une glace au chocolat (recette p. 106), et mettez-la en sorbetière, au freezer.

La sauce à l'orange

2. Quelques minutes avant de démouler, préparez une sauce à l'orange en écrasant la confiture d'orange à la fourchette. Délayez-la avec le jus d'orange parfumé à la liqueur. Faites chauffer sans attendre l'ébullition. Laissez refroidir.

3. Démoulez la glace au chocolat, façonnez des boules pour garnir les coupes. Parsemez de grains de chocolat ou de chocolat râpé.

4. Servez à part la sauce à l'orange.

GLACE AUX FRAISES FRAÎCHES

Facile
Raisonnable
Préparation : 1 h
+ froid

Pour 1/2 litre de glace à la vanille :

- 2,5 dl de lait (1/4 de l de lait)
- 100 g de sucre semoule
- 3 jaunes d'œufs
- 1,5 dl de crème fraîche non acide
- 1/2 gousse de vanille

Pour la garniture :

- 250 g de fraises fraîches ou surgelées
- 60 g de sucre
- 50 g de crème Chantilly (recette p. 112)

1. Préparez la crème de base de la glace à la vanille (recette p. 104). Mettez-la en sorbetière au freezer.

2. Pendant ce temps, lavez et équeutez les fraises. Coupez-les en deux. Saupoudrez-les de sucre.

3. Lorsque la glace est prise, coupez-la en deux dans le sens de l'épaisseur.

4. Répartissez les fraises sur une des moitiés, recouvrez avec l'autre moitié.

5. Décorez avec quelques fraises entières et un peu de crème Chantilly.

GLACE AUX KIWIS

Facile
Raisonnable
Préparation : 1 h
+ froid
+ 5 mn pour la sauce

Pour 1/2 litre de glace à la vanille :

- 2,5 dl de lait (1/4 de l de lait)
- 100 g de sucre semoule
- 3 jaunes d'œufs
- 1,5 dl de crème fraîche non acide
- 1/2 gousse de vanille

Pour la garniture :

- 2 kiwis

Sauce à l'abricot :

- 1/2 pot de confiture d'abricots
- 2 cuil. à soupe de kirsch
- 2 cuil. à soupe d'eau

1. Préparez la glace vanille (recette p. 104). Mettez en sorbetière au freezer.

2. Pendant ce temps, épluchez à vif les kiwis bien mûrs et découpez-les en tranches assez épaisses.

3. Préparez une sauce à l'abricot *(1)* : travaillez la confiture d'abricots, à la fourchette *(2)*. Délayez la purée d'abricots avec le kirsch étendu d'eau *(3)*. Faites chauffer sans attendre l'ébullition. Gardez au chaud.

4. Quand la glace est prise, démoulez et façonnez des boules légèrement aplaties à la base, au sommet et sur les côtés.

5. Appliquez les tranches de kiwis sur les boules de glace façonnées et arrosez le tout de sauce à l'abricot préparée à l'avance, mais encore tiède.

(1)

(2)

(3)

GLACE AUX MARRONS

Facile
Raisonnable
Préparation : 1 h 05
+ froid

Pour 1/2 litre de glace aux marrons :

- 2,5 dl de lait (1/4 de l)
- 35 g de sucre semoule
- 2 jaunes d'œufs
- 1/2 gousse de vanille
- 150 g de crème de marrons

Pour la sauce chocolat :

- 1/2 verre d'eau
- 20 g de beurre
- 100 g de chocolat fondant

- Pour 1/4 de l de crème Chantilly :

- 80 g de crème fraîche
- 2 cuil. à soupe de lait
- 10 g de sucre glace
(recette p. 112)

La glace aux marrons :

1. Faites bouillir le lait avec la moitié du sucre et 1/2 gousse de vanille, fendue dans la longueur.

2. Dès que l'ébullition commence, placez hors du feu, et laissez infuser, à couvert, pendant 10 mn.

3. Fouettez avec un batteur à vitesse moyenne, les jaunes d'œufs avec le sucre restant, jusqu'à ce que le mélange devienne blanc et mousseux.

4. Replacez le lait vanillé sur le feu et lorsqu'il est bouillant, versez-en un peu sur les jaunes d'œufs, fouettez avec un fouet électrique, ou à défaut avec un fouet à sauce.

5. Versez alors le mélange obtenu dans la casserole de lait vanillé, placée sur feu doux et remuez sans arrêt avec la spatule de bois jusqu'à ce que la crème soit prise (votre index reste marqué sur la spatule recouverte de crème).

6. Mettez la crème de marrons dans une terrine et versez dessus, progressivement et en fouettant vivement, la crème anglaise chaude. Vous devez obtenir un mélange lisse et sans grumeaux.

7. Laissez refroidir 30 mn, en remuant de temps en temps à la spatule de bois, pour éviter la formation d'une pellicule.

8. Versez ensuite en sorbetière et mettez au freezer.

La sauce chocolat :

9. Pendant ce temps, faites fondre le chocolat dans un 1/2 verre d'eau, à feu doux. Quand le chocolat est fondu, ajoutez le beurre détaillé en petits morceaux. Remuez bien. Laissez tiédir.

La crème Chantilly :

10. Battre la crème en Chantilly en la sucrant plus légèrement que dans la recette p. 112.

11. Quand la glace est prise, moulez-la en boules et nappez avec la sauce chocolat. Décorez avec la Chantilly et des petits personnages en sucre, si vous voulez un dessert de fête.

GLACE MELBA

Facile
Bon marché
Préparation : 1 h
+ froid

Pour 1 coupe :

■ 2 boules de glace à la vanille
■ 1 pêche entière au sirop ou fraîche et pochée
■ 1 cuil. de gelée de groseilles

Pour le décor :

■ amandes effilées et grillées

1. Préparez une glace à la vanille selon la recette de base (p. 104).

2. Faites fondre la gelée de groseilles.

3. Dans chaque coupe, placez une pêche entière, au sirop, deux boules de glace à la vanille.

4. Nappez d'une cuillère de gelée de groseilles fondue et parsemez d'amandes effilées et légèrement grillées.

5. Pour un dessert très raffiné, vous pouvez remplacer une boule de glace à la vanille par une boule de sorbet aux pêches que vous ferez selon la recette de base du sorbet.

6. Pour 1/2 litre de sorbet, prévoyez 500 g de pêches fraîches. Dénoyautez-les et passez-les au mixeur ou à la moulinette, pour obtenir environ 3 dl de purée. Ajoutez-la au sirop de sucre, préparé selon la recette de base du sorbet (p. 158) ainsi qu'un jus de citron. Filtrez le mélange au chinois et versez-le dans la sorbetière.

7. Vous pouvez remplacer la gelée de groseilles par une purée de framboises fraîches.

GLACE MÉRIBEL A L'ORANGE

Facile
Bon marché
Préparation : 1 h
+ froid

Pour 1/2 litre de glace à la vanille :

- 2,5 dl de lait (1/4 de l de lait)
- 100 g de sucre semoule
- 3 jaunes d'œufs
- 1,5 dl de crème fraîche non acide
- 1/2 gousse de vanille

Pour la garniture et le parfum :

- 6 + 2 oranges

1. Préparez la crème de base de la glace à la vanille (recette p. 104). Laissez refroidir.

Si vous êtes pressée, vous pouvez remplacer dans cette recette, la crème anglaise par une boîte de lait concentré sucré de 400 g.

2. Pressez le jus de 6 oranges et mélangez-le à la crème de base refroidie ou au lait concentré sucré.

3. Fouettez pour obtenir une crème homogène.

4. Mettez en sorbetière et au freezer.

5. Démoulez et décorez avec les quartiers d'oranges pelés à vif des deux oranges restantes, et à volonté avec un peu de crème Chantilly (recette p. 112).

GLACE MERINGUES

Facile mais délicat
Raisonnable
Préparation : 1 h 05
pour la glace
+ froid
+ 15 mn pour la sauce

Pour 1/2 litre de glace à la vanille :

- 2,5 dl de lait (1/4 de l de lait)
- 100 g de sucre semoule
- 3 jaunes d'œufs
- 1,5 dl de crème fraîche
- 1/2 gousse de vanille

Pour le parfum et la garniture :

- 250 g de bananes
- 1 citron
- 2 dl de sauce à profiteroles :
- 1 dl d'eau
- 90 g de sucre semoule
- 30 g de cacao amer en poudre
- 50 g de crème fraîche

- 6 à 8 coques de meringue (achetées chez le pâtissier)

1. Préparez la crème de base de la glace à la vanille (recette p. 104). Laissez-la refroidir.

2. Pendant ce temps, faites une purée de bananes, en écrasant les fruits avec le moulin à légumes (le mixeur rendrait la pulpe collante). Ajoutez le jus de citron pour éviter que les bananes noircissent.

3. Versez peu à peu la crème de base refroidie sur la purée de bananes, en fouettant vivement pour obtenir une pâte lisse.

4. Mettez en sorbetière, au freezer.

5. Environ 10 mn avant de démouler la glace à la banane, préparez la sauce à profiteroles qui doit être servie chaude.

La sauce à profiteroles

6. Faites bouillir l'eau et le sucre en tournant avec une spatule.

7. Versez l'eau sucrée bouillante dans une petite terrine contenant le cacao, en fouettant sans arrêt.

8. Reversez le tout dans la casserole placée sur le feu.

9. Continuez à fouetter sans arrêt pour éviter que le mélange attache et déborde.

10. Ajoutez la crème fraîche, fouettez toujours jusqu'à ébullition et arrêtez la cuisson.

11. Démoulez vivement la glace à la banane, façonnez des boules que vous déposez au centre du plat de service.

12. Arrosez-les de sauce à profiteroles chaude et terminez en dressant les coques de meringues autour des boules de glace.

GLACE MIEL

Facile
Bon marché
Préparation : 1 h
+ froid

Pour 1/2 litre de glace au miel :

- 2,5 dl de lait (1/4 de l)
- 50 g de miel liquide parfumé
- 75 g de sucre semoule
- 3 jaunes d'œufs
- 1,25 dl de crème fraîche

1. Faites bouillir le lait avec la moitié du sucre et le miel. Laissez infuser hors du feu, à couvert, pendant 10 mn.

2. Fouettez, avec un batteur à vitesse moyenne, les jaunes d'œufs avec la moitié restante de sucre, jusqu'au moment où le mélange devient blanc et mousseux.

3. Replacez le lait au miel sur le feu et lorsqu'il est bouillant, versez-en un peu sur les jaunes d'œufs, fouettez avec un fouet électrique, ou à défaut un fouet à sauce.

4. Versez alors le mélange obtenu dans la casserole de lait au miel, placé sur feu doux, et remuez sans arrêt avec la spatule de bois jusqu'à ce que la crème soit prise (votre index reste marqué sur la spatule recouverte de crème).

5. Retirez du feu et ajoutez alors la crème fraîche en tournant pour bien la répartir.

6. Laissez refroidir pendant 30 mn en remuant de temps en temps avec la spatule, pour éviter la formation d'une pellicule.

7. Versez en sorbetière et mettez au freezer réglé au plus froid.

GLACE AUX MYRTILLES

Facile
Bon marché
Préparation : 1 h
+ froid

Pour 1/2 litre de glace à la vanille :

- **2,5 dl de lait (1/4 de l de lait)**
- **100 g de sucre semoule**
- **3 jaunes d'œufs**
- **1,5 dl de crème fraîche non acide**
- **1/2 gousse de vanille**

Pour le parfum et la garniture :

- **250 g de myrtilles au naturel surgelées**

1. **Préparez votre glace à la vanille (recette p. 104).**

2. Faites décongeler les myrtilles au naturel.

3. Quand la glace est prise, démoulez et découpez des cubes, répartissez-les dans les coupes refroidies.

4. Répartissez les myrtilles dans les coupes, sur les cubes de glace.

5. Piquez, juste avant de servir, une tuile ou une cigarette à glace dans les coupes.

GLACE NOISETTES SAUCE CARAMEL

Facile
Bon marché
Préparation : 1 h
+ froid

Pour 1/2 litre de glace aux noisettes :

- **2,5 dl de lait (1/4 de l de lait)**
- **100 g de sucre semoule**
- **3 jaunes d'œufs**
- **1,5 dl de crème fraîche non acide**
- **75 g de noisettes râpées**

Pour la garniture :

Sauce caramel avec :
- **un demi-verre d'eau**
- **15 morceaux de sucre**
- **50 g de noisettes concassées**

La glace aux noisettes :

1. Râpez fin les noisettes émondées, et ajoutez-les au lait sucré avec la moitié du sucre.

2. Faites bouillir, puis laissez infuser, à couvert, et hors du feu, pendant 10 mn.

3. Fouettez avec un batteur à vitesse moyenne les jaunes d'œufs avec la moitié restante de sucre, jusqu'au moment où le mélange devient blanc et mousseux.

4. Replacez le lait aux noisettes sur le feu et lorsqu'il est bouillant, versez-en un peu sur les jaunes d'œufs, fouettez avec un fouet électrique, ou à défaut un fouet à sauce.

5. Versez alors le mélange obtenu dans la casserole de lait aux noisettes, placée sur feu doux, et remuez sans arrêt avec la spatule de bois jusqu'à ce que la crème soit prise (votre index reste marqué sur la spatule recouverte de crème).

6. Retirez du feu et ajoutez alors la crème fraîche en tournant pour bien la répartir.

7. Laissez refroidir 30 mn en remuant de temps en temps avec la spatule, pour éviter la formation d'une pellicule.

8. Versez en sorbetière et mettez au freezer réglé au plus froid.

9. Quand la glace est prise, servez-la démoulée avec une sauce au caramel.

Sauce au caramel : imbibez d'eau les morceaux de sucre en les passant vivement sous le robinet. Mettez-les tout de suite dans une petite casserole, chauffez à feu moyen en secouant de temps en temps, mais sans ustensile. Quand le sucre prend une couleur brun doré, retirez la casserole du feu et versez en une fois un demi verre d'eau chaude. Dès que le bouillonnement cesse, remuez bien pour dissoudre le caramel et laissez-le refroidir.

10. Arrosez la glace avec le caramel, parsemez de quelques noisettes concassées et ajoutez à volonté un peu de crème Chantilly (recette p. 112). Il existe, dans le commerce, de la sauce caramel, toute prête.

BASE PARFAIT :
PARFAIT AUX ABRICOTS

Facile mais délicat
Raisonnable
Préparation : 1 h 30
+ froid

Pour 1/2 litre de parfait :

- 0,8 dl de lait (6 cuil. à soupe)
- 70 g de sucre semoule
- 3 œufs
- 400 g d'abricots bien mûrs ou d'abricots au sirop
- 200 g de sucre glace
- 2,5 dl (1/4 de l) de crème fraîche
- 4 cuil. à soupe de lait
- 1 cuil. à café de vanille liquide

Pour la crème fouettée* :

- 2,5 dl (1/4 de l) de crème fraîche + 4 cuil. à soupe de lait froid

Le parfait est une préparation à base d'œufs et de crème fraîche, parfumée soit avec une purée de fruits, soit avec de l'alcool.

1. Plongez les abricots frais dans 1/2 litre d'eau bouillante pendant 1 ou 2 mn pour pouvoir les éplucher facilement.

2. Réservez quelques demi-fruits pour la décoration. Dénoyautez-les et passez-les au mixeur ou à la moulinette pour les réduire en purée fine.

Préparez la base du parfait :

3. Mettez au réfrigérateur pendant une heure, le bol de votre batteur contenant la crème fraîche, 4 cuillères à soupe de lait froid et les fouets.

4. Au bout d'une heure, fouettez le mélange de 3 à 5 mn. Il double de volume et épaissit.

5. Pendant que refroidissent les ingrédients et le matériel pour la crème fouettée, portez à ébullition le lait et la moitié du sucre et procédez comme pour la recette de base de la glace à la vanille (recette p. 104).

6. Transvasez la base du parfait dans une terrine à bords hauts et continuez à fouetter 5 mn environ à vitesse moyenne, jusqu'à refroidissement.

7. Placez alors la terrine au réfrigérateur, pendant 1/2 heure environ, pour que le mélange soit à peu près à la même température que la crème fraîche.

8. A la purée d'abricot, ajoutez le sucre glace et la vanille liquide.

9. Mélangez le tout à la crème de base du parfait quand elle est suffisamment refroidie.

10. Délicatement, ajoutez cuillère après cuillère la crème fouettée* et un blanc d'œuf battu en neige ferme.

11. Versez dans la sorbetière et mettez au freezer.

12. Démoulez et décorez avec les oreillons d'abricots réservés et de la crème Chantilly (recette p. 112).

(*) Pour réussir la crème fouettée, vous procédez comme pour la crème Chantilly : mettez au réfrigérateur, pendant une heure, la crème et le lait, le bol et les fouets de votre batteur. Fouettez la crème et le lait, sans ajouter de sucre, pendant 3 à 5 mn.

PARFAIT CITRON MANDARINES

Facile mais délicat
Raisonnable
Préparation : 1 h 30
+ froid

Pour 1/2 litre de parfait :

- 0,8 dl de lait (6 cuil. à soupe)
- 70 g de sucre semoule
- 3 œufs
- 7 mandarines non traitées
- 1 jus de citron

Pour la crème fouettée : (recette p. 140)

- 2,5 dl (1/4 de l) de crème fraîche + 4 cuil. à soupe de lait froid

1. Préparez la base du parfait (recette p. 140).

2. Écrasez au mixeur si possible, la chair de 6 mandarines et la 7e entière avec sa peau.

3. Ajoutez le jus de citron et sucrez si nécessaire.

4. Préparez alors la crème fouettée.

5. Sortez du réfrigérateur la base du parfait et ajoutez-lui la purée de mandarines.

6. Incorporez délicatement, cuillère après cuillère, la crème fouettée.

7. Battez un blanc d'œuf en neige ferme et ajoutez-le au dernier moment.

8. Versez dans la sorbetière et mettez au freezer.

9. Au moment de servir, décorez le parfait avec des tranches de mandarines débarrassées de leur peau.

PARFAIT AU COGNAC

Facile mais délicat
Raisonnable
Préparation : 1 h 30
+ froid

Pour 1/2 litre de parfait :

- 0,8 dl de lait (6 cuil. à soupe)
- 70 g de sucre semoule
- 3 œufs
- 3 cuil. à soupe de Cognac

Pour la crème fouettée (recette p. 140) :

- 2,5 dl (1/4 de l) de crème fraîche + 4 cuil. à soupe de lait froid

Pour la décoration :

- caramel liquide

1. Préparez la base du parfait selon la recette du parfait aux abricots (p. 140) et mettez-la au réfrigérateur.

2. Pendant ce temps, vous aurez mis à refroidir ingrédients et matériel nécessaires à la crème fouettée que vous préparerez au dernier moment.

3. Quand la base du parfait est à bonne température, ajoutez-lui le cognac puis la crème fouettée et, enfin un blanc d'œuf battu en neige ferme.

4. Versez dans la sorbetière et mettez au freezer.

5. Démoulez et décorez avec du caramel ou des rondelles d'oranges par exemple.

PATISSERIE GLACÉE :
CHAMPAGNE-ORANGE

Facile
Bon marché
Préparation : 15 mn
+ froid

Pour 1/2 litre de glace à l'orange :

- 2 yaourts de 12 dl
- 3 oranges non traitées
- 150 g de sucre glace

Pour la garniture :

- 8 macarons
- 1/2 coupe de champagne (facultatif)
- quelques écorces d'oranges confites

1. Battez les yaourts et le sucre avec un batteur électrique, jusqu'à ce que le sucre soit complètement fondu et que le mélange soit parfaitement lisse.

2. Pressez le jus de 3 oranges, râpez le zeste d'une moitié d'orange, et ajoutez jus et zeste au mélange en remuant vivement.

3. Versez dans la sorbetière et mettez au freezer.

4. Démoulez la glace sur le plat de service, entourez-la de macarons placés verticalement et côte à côte, préalablement mouillés de champagne.

5. Décorez avec des écorces d'oranges confites et à volonté de Chantilly (recette p. 112).

PATISSERIE GLACÉE :
CHARLOTTE AU CHOCOLAT

Facile
Cher
Préparation : 1 h 10
+ froid

Pour 6 à 8 personnes :

- 18 biscuits à la cuiller

- 1/2 l de glace au chocolat (ingrédients et proportions de la glace au chocolat, p. 106)
- 2 verres à liqueur de liqueur d'orange

- 2,5 dl de crème chantilly :
- 80 g de crème fraîche
- 2 cuil. à soupe de lait froid
- 1 grosse cuil. à soupe de sucre glace

1. Préparez une glace au chocolat selon la recette de la p. 106.

2. Avec un pinceau, badigeonnez les biscuits à la cuiller de liqueur d'orange.

3. Tapissez le fond et les parois d'un moule à charlotte des biscuits parfumés à la liqueur.

4. Démoulez la glace au chocolat et posez-la au centre du moule, sur le fond de biscuits.

5. Remettez au freezer au moins une heure.

6. Au moment de servir, décorez de crème Chantilly (recette p. 112) et de chocolat râpé à l'épluche-légumes.

PATISSERIE GLACÉE :
OMELETTE NORVÉGIENNE

Facile mais délicat
Raisonnable
Préparation : 1 h 30
+ froid
+ 5 mn

Pour 5 à 6 personnes :

- 1/2 l de glace à la vanille (ingrédients et proportions de la recette de base p. 104)
- un fond de génoise de la taille du plat choisi, et de 4 cm d'épaisseur acheté chez le pâtissier
- 100 g de fruits confits
- 3 cuil. à soupe de kirsch
- 1,5 dl de sirop de sucre préparé selon la recette de base du sorbet (p. 158)

Pour la meringue :

- 3 blancs d'œufs
- 75 g de sucre glace
- 75 g de sucre semoule

1. Faites macérer les fruits confits dans la moitié du kirsch, pendant une heure, au réfrigérateur.

2. Préparez une glace à la vanille selon la recette de base (p. 104).

3. Mettez en sorbetière au freezer. Lorsque les fouets se relèvent, ajoutez les fruits confits et le kirsch à la glace crémeuse, et remettez au freezer.

4. Préparez le sirop de sucre (recette p. 158). Aromatisez-le avec le kirsch lorsqu'il est refroidi.

5. Pendant ce temps, découpez la génoise dans le sens de l'épaisseur. A l'aide d'un pinceau, imbibez les 2 moitiés avec le sirop parfumé au kirsch.

6. Mettez au congélateur au moins une heure.

7. Quand la glace est prise, moulez-la en forme d'omelette ovale et posez-la sur la moitié du biscuit qui couvre le fond du plat de service, allant au four.

8. Façonnez le biscuit restant pour qu'il recouvre complètement la glace.

9. Décorez avec des fruits confits et remettez au freezer pendant au moins 3 heures.

10. Préparez la meringue. Battez les blancs en neige ferme en les incorporant petit à petit à la mi-temps, au mélange des 2 sucres.

11. Chauffez le four au maximum (th. 9). A l'aide d'une spatule ou d'une poche à douille, recouvrez toute la surface du biscuit avec la meringue.

12. Passez le plat au four juste pour dorer la meringue 5 mn avant de servir.

PATISSERIE GLACÉE :
PROFITEROLES

Facile
Raisonnable
Préparation : 1 h
+ froid
+ 15 mn
pour la sauce

Pour 5 ou 6 personnes :

■ 25 choux en pâte à
choux achetés chez le
pâtissier

■ 1/2 l de glace à la vanille
(ingrédients et proportions
de la recette de base
p. 104)

■ 3 dl de sauce à
profiteroles :
■ 1,5 dl d'eau
■ 120 g de sucre semoule
■ 40 g de cacao amer
■ 70 g de crème fraîche

1. Préparez une glace à la vanille selon la recette de base (p. 104).

2. Faites la sauce à profiteroles :
— dans une casserole portez à ébullition l'eau et le sucre en tournant avec la spatule.
— dans le récipient qui contient le cacao, versez le mélange chaud en fouettant.
— reversez le tout dans la casserole placée sur le feu, sans arrêter de fouetter, en veillant à ce que le mélange ne déborde pas.
— tout en fouettant, ajoutez la crème fraîche, porter à ébullition et arrêtez immédiatement la cuisson. Gardez la sauce au chaud.

3. Quand la glace est prise, fendez les choux sur un côté et garnissez-les de glace à la vanille, à l'aide d'une petite cuillère.

4. Servez les profiteroles nappées de sauce chaude.

PATISSERIE GLACÉE :
VACHERIN AUX FRAMBOISES

Difficile
Cher
Préparation : 2 h
+ froid

Pour 8 à 10 personnes :

- 1 fond de meringue à la taille de votre moule
- 8 coques de meringues

- 1/2 l de glace à la vanille (ingrédients et proportions de la recette de base p. 104)

- 1/2 l de sorbet aux framboises (ingrédients et proportions de la recette du sorbet aux fraises p. 168)

Pour le décor :

- 1/2 litre de Chantilly
- 160 g de crème fraîche
- 4 cuil. à soupe de lait froid
- 3 cuil. à soupe de sucre glace
- 4 dl de coulis de framboises (facultatif)

1. Préparez une glace à la vanille selon la recette de base (p. 104).

2. Préparez un sorbet aux framboises selon la recette du sorbet aux fraises (p. 168).

3. Dans un moule rond, à bords hauts, placez le fond de meringue, et étalez la glace à la vanille. Remettez une heure au réfrigérateur.

4. Ajoutez alors le sorbet aux framboises qui finit de remplir le moule. Remettez au congélateur 1 heure 1/2.

5. Pendant la congélation, préparez la crème Chantilly selon la recette (p. 112).

6. Démoulez sur un plat de service refroidi. Entourez le vacherin avec les coques de meringue et décorez généreusement de Chantilly.

7. Vous pouvez arroser de coulis de framboises que vous pouvez faire facilement si vous avez un mixeur. Pour le préparer, il vous faut : 300 g de fruits lavés, 200 g de sucre semoule, le jus d'un citron.

8. Placez les fruits, le sucre et le jus de citron dans le bol de votre mixeur. Mixez jusqu'à ce que vous obteniez une purée très fine. Avant de servir, passez le coulis de framboises à travers le chinois.

NOTE : le vacherin est un dessert de fête, toujours très apprécié. Sa préparation n'est pas compliquée mais demande du temps et du soin.

PLOMBIÈRE AUX FRUITS CONFITS

Facile mais délicat
Raisonnable
Préparation : 1 h 15
+ froid

Pour 1/2 litre de glace Plombière :

- 2,5 dl de lait
- 100 g de sucre semoule
- 3 jaunes d'œufs
- 1,5 dl de crème fraîche
- 1/2 gousse de vanille
- 70 g de fruits confits
- 2 cuil. à soupe de kirsch

Pour la garniture :

- crème fouettée
- sucres colorés

1. Préparez une glace à la vanille (recette p. 104) mais sans ajouter de crème fraîche. Mettez en sorbetière dès que la crème de base est refroidie.

2. Coupez les fruits en petits morceaux et faites-les macérer dans le kirsch, dans un récipient fermé.

3. Dès que les fouets de la sorbetière sont relevés, et que la glace est devenue crémeuse, versez-la dans une terrine que vous aurez mise au réfrigérateur en même temps que la sorbetière.

4. Ajoutez alors la crème fouettée, préparée selon la recette p. 140, les fruits confits et le kirsch.

5. Versez le tout dans le moule de la sorbetière et mettez au freezer, mais sans remettre les fouets en marche.

6. Au moment de servir, démoulez et décorez avec la crème fouettée et des décors de sucre colorés.

BASE SORBET : SORBET CITRON

Très facile
Bon marché
Préparation : 35 mn
+ froid

Pour 1/2 litre de sorbet :

- 4 citrons non traités
- 1 orange
- 150 g de sucre
- 2,5 dl d'eau minérale tiède (pour le sirop)
- 1 blanc d'œuf
- 30 g de sucre glace

Recette de base :

Toutes les recettes de **sorbets** sont à base soit de purée de fruits, de jus de fruits et de sirop de sucre, soit d'alcool et de sirop de sucre. Les sorbets augmentent à peine de volume car ils contiennent seulement du blanc d'œuf. Aussi sont-ils légers et très parfumés.

1. Préparez un sirop de sucre : mettez dans une casserole l'eau et le sucre à feu doux, tournez avec une spatule de bois pour que le sucre fonde. Retirez le sirop dès le premier bouillon. Laissez refroidir.

2. Pressez les citrons et l'orange pour en exprimer le jus.

3. Râpez les zestes de 2 citrons. Faites-les infuser dans le sirop de sucre encore chaud une dizaine de minutes.

4. Ajoutez le jus des citrons et de l'orange, ainsi que l'eau minérale.

5. Versez le mélange en le filtrant à travers le chinois, dans le moule de la sorbetière.

6. Avant de mettre au freezer, prélevez un peu de sorbet, 1 cuillère à soupe environ. Battez-le avec le blanc d'œuf.

7. Mettez au freezer. Quand les batteurs de la sorbetière se relèvent, ajoutez le blanc d'œuf battu avec la cuillère de sorbet et le sucre glace.

8. Remettez au freezer jusqu'à ce que le sorbet prenne.

REMARQUE : Ce temps peut varier, selon le modèle de sorbetière, mais aussi suivant la puissance de votre réfrigérateur. Votre propre expérience vous permettra de déterminer le temps exact de congélation.

SORBET AUX AGRUMES

Facile
Bon marché
Préparation : 35 mn

Pour une coupe :

■ **2 ou 3 boules de sorbet au citron**
■ **1/2 dl de jus d'orange sucré**

1. Préparez un sorbet au citron selon la recette de la p. 158.

2. Au moment de servir, façonnez des boules en comptant deux ou trois boules par personne.

3. Servez dans des coupes préalablement refroidies dans le réfrigérateur.

4. Arrosez chaque coupe de jus d'orange sucré et également refroidi.

SORBET CASSIS

Facile
Bon marché
Préparation : 45 mn
+ froid

Pour 1/2 litre de sorbet :

- **500 g de cassis**
- **200 g de sucre**
- **2 dl d'eau minérale tiède**
- **1 cuil. à soupe de liqueur de cassis**

1. Prèparez un sirop de sucre en portant à ébullition l'eau et le sucre. Laissez refroidir (voir p. 158).

2. Égrappez les cassis. Plongez-les dans 1 l d'eau bouillante. Attendez que l'ébullition reprenne en tournant avec une spatule. Égouttez-les.

3. Réduisez-les en purée, soit au mixeur, soit à la moulinette. Vous obtenez 2,5 dl de purée environ.

4. Mélangez intimement le sirop de sucre, la purée de cassis et la cuillère à soupe de liqueur de cassis.

5. Versez dans la sorbetière et mettez au freezer.

6. Servez le sorbet cassis dans des coupes, arrosé de crème de cassis. Décorez avec des violettes de sucre.

SORBET CASSIS - GLACE VANILLE

Facile
Bon marché
Préparation : 1 h 35
+ froid

Pour 1 coupe :

- **1 boule de glace à la vanille**
- **1 boule de sorbet cassis**
- **1/2 dl de gelée de cassis (1 cuil. 1/2 à soupe)**

1. Préparez une glace à la vanille selon la recette de base (p. 104).

2. Préparez un sorbet cassis selon la recette de la p. 162.

3. Si vous avez une sorbetière deux parfums, vous pouvez faire simultanément la glace et le sorbet, en respectant le temps de turbinage et de congélation indiqués par le fabricant et en plaçant le sorbet à l'intérieur et la glace à la vanille à l'extérieur.

4. Au moment de servir, façonnez la glace et le sorbet en boules. Comptez une boule de chaque par coupe.

5. Arrosez de gelée de cassis préalablement fondue.

NOTE : l'association glace/sorbet est toujours appréciée, car l'onctuosité de la glace atténue l'acidité du sorbet.

SORBET CHAMPAGNE

Difficile
Raisonnable
Préparation : 1 h
+ froid

Pour 1/2 litre de sorbet :

■ **1/2 jus d'orange non traité**
■ **1/2 jus de citron non traité**
■ **2 dl de champagne rosé de préférence**
■ **1/2 l d'eau**
■ **500 g de sucre**

Pour la meringue :

■ **1 blanc d'œuf**
■ **50 g de sucre glace**

1. Préparez à l'avance un sirop de sucre (recette p. 158). Vérifiez au pèse-sirop (thermomètre à sucre) si la densité nécessaire est atteinte : 22° Baumé. Ce sirop se conserve très bien en bouteille bouchée.

2. Faites à l'avance la meringue :
— délayez le sucre glace avec les blancs d'œufs, dans une terrine que vous mettez au bain-marie non bouillant.
— Battez au fouet électrique de préférence, ou au fouet à main, pour obtenir une masse ferme et brillante.
— Laissez refroidir avant de mettre au réfrigérateur.

3. Pendant le temps de refroidissement de la meringue, faites infuser le zeste épluché en ruban de la moitié de l'orange et de la moitié du citron.

4. Pressez le jus des fruits, 1/2 citron + 1/2 orange, et mélangez-le au champagne.

5. Ajoutez du sirop de sucre, environ 2 dl, jusqu'à ce que la densité du mélange atteigne 15° Baumé. La quantité exacte de sirop à ajouter dépend du champagne et des fruits utilisés.

6. Versez le mélange, à bonne densité, dans la sorbetière et mettez au freezer.

7. Si la vitesse de votre sorbetière est réglable, faites-la tourner lentement jusqu'à ce que le sorbet soit pris. Sinon, faites-la tourner 5 mn, et ainsi de suite jusqu'au moment ou la préparation est prise.

8. Au moment de servir, incorporez délicatement la meringue très froide, et présentez dans des verres hauts, avec quelques violettes de sucre par exemple.

NOTE : Pour réussir cette recette, il est nécessaire d'avoir un pèse-sirop.

SORBET FRAISE

Très facile
Bon marché
Préparation : 40 mn
+ froid

Pour 1/2 litre de sorbet :

- 300 g de fraises
- 150 g de sucre
- 1,5 dl d'eau minérale tiède
- le jus d'un demi citron

1. Préparez un sirop de sucre selon la recette de base du sorbet citron, en respectant les proportions indiquées ci-contre. Laissez refroidir (voir p. 158).

2. Lavez les fraises, égouttez-les soigneusement et équeutez-les.

3. Mixez-les ou passez-les à la moulinette pour obtenir une purée de fraises.

4. Mélangez le sirop de sucre refroidi à la purée de fraises, ajoutez le jus de citron en remuant soigneusement.

5. Mettez en sorbetière, au freezer.

6. Au moment de servir, façonnez des boules de sorbet que vous présenterez en coupes individuelles.

SORBET FRUITS DE LA PASSION

Facile
Cher
Préparation : 1 h 35
+ froid

Pour 1/2 litre de glace à la noix de coco :

- **2,5 dl de lait (1/4 de l)**
- **100 g de sucre semoule**
- **3 jaune d'œufs**
- **1,5 dl de crème fraîche**
- **50 g de noix de coco râpée**

Pour 1/2 litre de sorbet aux fruits de la Passion :

- **500 g de fruits de la Passion à chair rouge**
- **150 g de sucre semoule**
- **1,5 dl d'eau minérale tiède (pour le sirop de sucre)**
- **+ 1 dl d'eau minérale pour la purée de fruits**

Pour la présentation :

- **1/2 noix de coco par personne**

La glace à la noix de coco

1. Faites bouillir le lait avec la moitié du sucre et la noix de coco râpée. Laissez infuser, hors du feu, à couvert, pendant 10 mn.

2. Fouettez, avec un batteur à vitesse moyenne, les jaunes d'œufs avec la moitié restante de sucre, jusqu'au moment où le mélange devient blanc et mousseux.

3. Replacez le lait à la noix de coco sur le feu et lorsqu'il est bouillant, versez-en un peu sur les jaunes d'œufs, fouettez avec un fouet électrique, ou à défaut, un fouet à sauce.

4. Versez alors le mélange obtenu dans la casserole de lait à la noix de coco, placée sur feu doux, et remuez sans arrêt avec la spatule de bois jusqu'à ce que la crème soit prise (votre index reste marqué sur la spatule recouverte de crème).

5. Retirez du feu et ajoutez alors la crème fraîche en tournant pour bien la répartir.

6. Laissez refroidir pendant 30 mn, en remuant de temps en temps avec la spatule, pour éviter la formation d'une pellicule.

7. Versez en sorbetière et mettez au freezer réglé au plus froid. Si vous avez une sorbetière 2 parfums, placez le sorbet à l'intérieur, et la glace à l'extérieur.

Le sorbet aux fruits de la Passion

8. Préparez un sorbet aux fruits de la Passion selon la recette de base du sorbet (recette p. 158). Pour extraire la pulpe des fruits, coupez-les en deux et évidez-les avec une petite cuillère. Passez la pulpe au tamis, avant de l'ajouter au sirop de sucre refroidi et à 1 dl d'eau minérale. Mettez en sorbetière au freezer.

9. Au moment de servir, placez dans les deux demi noix de coco, préalablement refroidies au réfrigérateur, une ou deux boules de glace et une ou deux boules de sorbet.

SORBET DES ÎLES

Très facile
Bon marché
Préparation : 35 mn
+ froid

Pour 1/2 litre de sorbet :

- **4 oranges**
- **1 verre de bananes écrasées (3 bananes environ)**
- **100 g de sucre semoule**
- **1,5 dl d'eau minérale tiède**
- **1 blanc d'œuf**
- **30 g de sucre glace**
- **1/2 cuil. à soupe de rhum blanc**

1. Préparez le sirop de sucre avec l'eau et le sucre. Portez à ébullition, mais retirez du feu avant le premier bouillon, dès que le sucre est fondu. Laissez refroidir.

2. Pressez les oranges pour en extraire complètement le jus.

3. Épluchez, puis écrasez les bananes en purée. Mélangez purée et jus d'oranges.

4. Ajoutez le sirop refroidi au jus d'oranges et à la purée de bananes ainsi que le rhum.

5. Remuez bien ce mélange avant de verser dans le moule de la sorbetière. Prélevez-en une cuillère à soupe.

6. Mettez au freezer. Quand les batteurs se relèvent, ajoutez le blanc d'œuf battu avec le sucre glace et la cuillère de sorbet réservée puis remettez à glacer le temps nécessaire.

7. Versez dans des coupes, avec quelques rondelles de bananes et une tranche d'orange piquée sur le bord du verre.

NOTE : les sorbets doivent être servis moelleux, prêts à fondre.

SORBET MELON

Très facile
Bon marché
Préparation : 35 mn
+ froid

Pour 1/2 litre de sorbet :

- 1 melon de 700 g
environ, bien mûr
- 150 g de sucre semoule
- 1,5 dl d'eau minérale
tiède
- 1/2 dl de porto

Pour le décor :

- morceaux d'angélique
ou quelques fraises

1. Préparez le sirop avec le sucre et l'eau (recette p. 158).

2. Coupez le melon en deux, enlevez les fibres et les pépins et, avec une cuillère, isolez la pulpe.

3. Mixez cette pulpe ou passez-la à la moulinette pour obtenir une purée.

4. Incorporez-lui le porto et le sirop de sucre.

5. Mettez en sorbetière au freezer.

6. Servez en coupes individuelles, décoré soit avec quelques fraises fraîches, soit avec des petits morceaux de fruits confits.

SORBET POIRES

Très Facile
Bon marché
Préparation : 35 mn
+ froid

Pour 1/2 litre de sorbet :

- 500 g de poires bien mûres
- 100 g de sucre semoule
- 1 dl d'eau
- 1 citron
- 1 blanc d'œuf
- 1/2 verre d'alcool de poires
- 30 g de sucre glace

Pour le décor :

- crème Chantilly
- débris de marrons glacés

1. Épluchez les poires. Coupez-les en 4, en leur ôtant le cœur et les pépins.

2. Passez-les au mixeur. Vous devez obtenir 3 dl de purée. Ajouter le jus de citron à cette purée pour qu'elle ne noircisse pas trop.

3. Préparez le sirop avec le sucre et l'eau (recette p. 158).

4. Incorporez-le une fois refroidi à la purée de poires.

5. Versez le mélange, à travers un chinois, dans le moule de la sorbetière.

6. Mettez au freezer. Lorsque les batteurs de la sorbetière se relèvent, ajoutez délicatement le blanc d'œuf battu avec le sucre glace et l'alcool de poires.

7. Remettez au freezer pour finir la congélation.

8. Servez dans des coupes ou des flûtes, en décorant chacune avec une noix de crème Chantilly (recette p. 112) et des débris de marrons glacés.

PÂTE A CRÊPES CLASSIQUE

CRÊPIÈRE ÉLECTRIQUE TYPE TEFAL

POUR 24 CRÊPES :

- 250 g de farine tamisée
- 1/2 cuil. à café de sel fin
- 2 cuil. à soupe d'huile ou 50 g de beurre fondu
- 3 œufs
- 1/2 l de lait ou 1/4 de l de lait + 1/4 de l d'eau pour obtenir une pâte plus légère
- 2 cuil. à soupe de sucre semoule seulement pour les crêpes dessert

Parfum au choix uniquement pour les crêpes sucrées : zeste de citron râpé, sucre vanillé ou rhum

CRÊPIÈRE ÉLECTRIQUE TYPE KRUPS

POUR 24 CRÊPES :

- 150 g de farine tamisée
- 1/2 cuil. à café de sel
- 2 cuil. à soupe d'huile ou 50 g de beurre fondu
- 2 œufs
- 1/4 de l de lait + 1/4 de l d'eau
- 2 cuil. à soupe de sucre semoule seulement pour les crêpes dessert

Parfum au choix uniquement pour les crêpes sucrées

1. Mettez la farine tamisée dans une terrine évasée assez haute et faites un puits au centre.

2. Dans le puits, mettez les œufs entiers, battus en omelette, mélangez-les à la farine avec un fouet à sauce, en incorporant petit à petit le liquide.

3. Battez quelques minutes pour que la pâte soit parfaitement lisse.

4. Ajoutez alors l'huile, le sel, le parfum et le sucre et battez à nouveau pour bien répartir tous les ingrédients dans la pâte qui doit être fluide et onctueuse. Passez-la au chinois.

5. Vous pouvez l'utiliser immédiatement, mais si elle peut reposer une heure, les crêpes seront plus parfumées.

NOS CONSEIL : Faites de préférence une pâte épaisse et rajoutez ensuite du liquide pour obtenir la consistance que vous préférez.

- Fouettez de temps en temps la pâte à crêpes, elle s'étalera mieux.

- Plus vous ajoutez de sucre à la pâte plus les crêpes seront croustillantes ; même pour les crêpes salées, ajoutez toujours une pincée de sucre, elles doreront mieux.

- Pour garder les crêpes tièdes :
  — au bain-marie : les crêpes faites sont empilées sur une assiette placée sur une casserole remplie aux 2/3 d'eau frémissante. Recouvrir d'une feuille d'aluminium.

  — au four : envelopper une par une les crêpes dans une feuille d'aluminium et les mettre à four doux (th. 3) environ 1/4 d'heure.

LES CRÊPES AVEC LA CRÊPIÈRE
type Téfal

1. Versez environ 2/3 de louche sur la surface de la plaque, *(1)* en l'étalant par un mouvement circulaire, à l'aide du petit rateau en forme de T, *(2)* joint à votre crêpière, sans appuyer et en partant du centre de la plaque.

2. Au bout de 30 secondes environ, vous décollez délicatement les bords de la crêpe avec la spatule en bois et vous pouvez alors la retourner facilement. *(3)*

3. 20 à 30 secondes plus tard, la crêpe est cuite à point.

4. Entre chaque crêpe, essuyez le rateau avec un papier absorbant et déposez-le dans un récipient rempli d'eau.

(1)	*(2)*	*(3)*

Avant de faire cuire les crêpes, faites préchauffer votre crêpière 6 à 8 mn. A la première utilisation, frottez doucement la plaque de votre crêpière avec un chiffon propre imprégné d'huile, Pour les cuissons ultérieures, il suffira de graisser très légèrement la plaque pour cuire la première crêpe, ensuite, son revêtement anti-adhésif évite que les crêpes attachent.

180

LES CRÊPES AVEC LA CRÊPIÈRE
type Krups

1. Laissez préchauffer votre crêpière 2 à 3 mn.

2. Versez la pâte à crêpes dans un plat peu profond et plus large que la plaque de la crêpière.

3. Quand la crêpière est chaude, retournez-la pour tremper la plaque de cuisson légèrement dans la pâte, *(1)* et de manière à ce que toute la surface soit recouverte de pâte. Comptez 3 secondes et retirez la crêpière en la retournant, avant de la poser sur la table. Laissez cuire la crêpe 1 mn à 1 mn 1/2. Elle sera cuite parfaitement sans qu'il soit nécessaire de la retourner.

4. Détachez les bords de la crêpe avec la spatule *(2) (3)* et retournez la crêpière au-dessus d'une assiette. La crêpe se détachera d'elle-même.

5. Avant de faire cuire la crêpe suivante, enlevez avec la spatule les débris de pâte demeurés éventuellement sur la plaque.

(1)   *(2)*   *(3)*

Avant de faire cuire les crêpes, faites réchauffer votre crêpière 6 à 8 mn. A la première utilisation, frottez doucement la plaque de votre crêpière avec un chiffon propre imprégné d'huile. Pour les cuissons ultérieures, il suffira de graisser très légèrement la plaque pour cuire la première crêpe, ensuite, son revêtement anti-adhésif évite que les crêpes attachent.

CRÊPES AMÉRICAINES
AU SIROP D'ÉRABLE

Facile
Bon marché
Préparation : 20 mn

**POUR 18 CRÊPES
ÉPAISSES :**

La pâte* :

- 250 g de farine tamisée
- 2 cuil. à café de levure chimique
- 1/2 cuil. à café de sel fin
- 50 g de beurre fondu
- 3 œufs
- 1/2 l de lait
- 1 cuil. à soupe de sucre semoule
- 1 cuil. à café d'extrait de vanille
- 1 tasse de bananes en purée

La garniture :

- sirop d'érable

1. Mélangez dans une terrine la farine tamisée, le sel, le sucre et la levure.

2. Battez à part les jaunes d'œufs avec le lait vanillé.

3. Délayez la farine avec ce mélange, puis ajoutez le beurre fondu.

4. Laissez reposer deux à trois heures.

5. Travaillez bien la pâte pour qu'elle devienne lisse, versez-y les bananes moulinées en purée et les blancs d'œufs battus en neige très ferme. *(1-2-3)*

6. Faites cuire des crêpes assez épaisses et plus petites que le diamètre de la crêpière.

7. Avant de retourner chaque crêpe pour cuire la deuxième face, vérifiez en soulevant avec la spatule que la crêpe est bien dorée.

8. Tenez les crêpes au chaud, en les empilant sur une assiette au bain-marie.

9. Servez les crêpes arrosées de sirop d'érable.

* Pour les crêpières à tremper : 150 g de farine et 2 œufs.

(1)

(2)

(3)

CRÊPES ANGLAISES AU GINGEMBRE

Très facile
Bon marché
Préparation : 15 mn

POUR 24 CRÊPES :

La pâte* :

- **250 g de farine tamisée**
- **1 pincée de sel fin**
- **50 g de beurre fondu**
- **3 œufs**
- **1/2 l de lait ou 1/4 de l de lait + 1/4 de l d'eau**
- **2 cuil. à soupe de sucre de semoule**
- **2 cuil. à café de gingembre**
- **1 verre à liqueur d'eau de vie**

La garniture :

- **rhum et sucre semoule**

1. Préparez la pâte à crêpes selon la recette de la pâte classique (p. 178).

2. Battez bien le mélange avec un petit fouet à sauce, en ajoutant le sel.

3. Parfumez avec le gingembre et l'eau de vie.

4. Faites chauffer la crêpière et faites cuire les crêpes qui doivent être minces et dorées.

5. Arrosez-les à volonté d'un peu de rhum et de sucre semoule.

* Pour les crêpières à tremper : 150 g de farine et 2 œufs.

CRÊPES A L'ANIS ET AU PASTIS

Facile
Raisonnable
Préparation : 15 mn

La pâte à la levure* :

(à préparer 3 heures avant la cuisson

- 250 g de farine tamisée
- 20 g de levure (levure de boulanger)
- 1/2 cuil. à café de sel fin
- 50 g de beurre fondu
- 2 œufs
- 5 cuil. à soupe de lait (pour délayer la levure)
- 1/2 l de lait
- 2 cuil. à soupe de sucre semoule
- 2 cuil. à soupe de pastis
- 1 cuil. à soupe de grains d'anis

La garniture :

- sucre semoule
- grains d'anis

1. Préparez la pâte à crêpes à la levure, selon la recette des crêpes au miel (voir p. 212).

2. Juste avant de commencer la cuisson des crêpes, ajoutez à la pâte qui aura reposé au moins 3 heures, le pastis et les grains d'anis.

3. Battez au fouet pour que l'alcool et les grains d'anis se répartissent bien.

4. Faites chauffer la crêpière et faites cuire les crêpes selon la méthode habituelle.

5. Servez-les brûlantes, saupoudrées de sucre semoule mélangé selon le goût avec quelques grains d'anis.

* Pour les crêpières à tremper : 150 g de farine et 2 œufs.

CRÊPES AUTRICHIENNES SOUFFLÉES AU FROMAGE BLANC

Facile
Raisonnable
Préparation : 15 mn

POUR 15 CRÊPES ÉPAISSES :

La pâte* :

- 300 g de farine tamisée
- 1/2 cuil. à café de sel fin
- 3 cuil. à soupe d'huile ou 60 à 70 g de beurre fondu
- 5 œufs
- 1/4 de l d'eau + 1/4 de l de lait
- 100 g de crème fraîche
- 125 g de sucre semoule

La garniture :

- 350 g de fromage blanc bien égoutté
- 125 g de sucre semoule
- 3 œufs
- 75 g de raisins de Smyrne

1. Faites gonfler les raisins secs dans de l'eau tiède.

2. Préparez une pâte à crêpes selon la recette de la pâte classique (voir p. 178) mais avec 5 œufs et en y ajoutant la crème fraîche.

3. Vous devez obtenir une pâte lisse et coulante.

4. Préparez la garniture : battez le fromage blanc avec le sucre et 3 jaunes d'œufs. Incorporez les raisins secs, puis les 3 blancs d'œufs battus en neige, pas trop ferme.

5. Faites chauffer la crêpière et faites cuire les crêpes.

6. Sur chaque crêpe cuite étalez une couche de fromage blanc, en mesurant une cuillerée à soupe de garniture par crêpe.

7. Pliez les crêpes en pannequets rectangulaires. Rangez-les dans un plat allant au four.

8. Passez à four très chaud (th. 9) 6 à 7 mn et servez immédiatement.

* Pour les crêpières à tremper : 200 g de farine et 3 œufs.

CRÊPES A LA BIÈRE

Très facile
Bon marché
Préparation : 15 mn

POUR 24 CRÊPES :

La pâte à la bière* :

- 150 g de farine tamisée
- 3 cuil. à soupe de maïzena
- 1/2 cuil. à café de sel
- 2 cuil. à soupe d'huile
- 3 œufs
- 3 verres de bière
- 2 cuil. à soupe de sucre semoule
- 1 sachet de sucre vanillé

La garniture :

- sucre semoule, ou confiture, ou miel

1. Dans une terrine, mélangez soigneusement la farine et la maïzena, et faites ensuite un puits au centre.

2. Dans le puits, mettez les œufs entiers en les mélangeant avec un fouet à sauce avec la farine et la maïzena.

3. Battez quelques minutes pour obtenir une pâte lisse.

4. Ajoutez alors l'huile, le sel, le sucre vanillé, et délayez le tout en versant peu à peu la bière. Vous devez obtenir une pâte assez liquide.

5. Laissez reposer la pâte pendant deux heures.

6. Faites cuire les crêpes fines et légères sur la crêpière chaude.

7. Saupoudrez-les au fur et à mesure de sucre et roulez-les.

* Pour les crêpières à tremper : 2 œufs seulement et 2 cuil. à soupe de maïzena.

190

CRÊPES DU BOCAGE AUX AMANDES

Facile
Raisonnable
Préparation : 15 mn
+ 20 mn
pour la compote

POUR 24 CRÊPES :

La pâte* :

- 250 g de farine tamisée
- 1/2 cuil. à café de sel fin
- 2 cuil. à soupe d'huile ou 50 g de beurre fondu
- 3 œufs
- 1/2 l de lait ou 1/4 de l de lait + 1/4 de l d'eau
- 2 cuil. à soupe de sucre
- 3 cuil. à soupe de Calvados

La compote :

- 1,5 kg de pommes
- 200 g de sucre
- 3 cuil. à soupe de crème fraîche
- 1 cuil. à soupe de Calvados

La garniture :

- 200 g de poudre d'amandes
- 1 cuil. à soupe d'amandes effilées
- 50 g de sucre glace
- 2 cuil. à soupe de Calvados pour flamber (facultatif)

1. Préparer la pâte à crêpes selon la recette de la pâte classique (voir p. 178) en ajoutant du Calvados.

2. Épluchez les pommes, coupez-les en grosses tranches. Faites-les cuire avec 1/2 verre d'eau dans une casserole couverte, à feu doux 20 mn. Écrasez-les ensuite à la fourchette en leur incorporant le sucre, la crème fraîche et le Calvados.

3. Sur la crêpière chaude, faites cuire des crêpes dorées.

4. Dans un plat allant au four, déposez une crêpe, recouvrez-la de compote et saupoudrez d'une cuillère à soupe de poudre d'amandes, recouvrez d'une crêpe.

5. Alternez ainsi crêpe, compote, poudre d'amandes, en terminant par une crêpe.

6. Saupoudrez le gâteau de crêpes de sucre glace, puis d'amandes effilées et passez-le à four chaud 5 mn.

7. Au moment de servir, vous pouvez arroser de Calvados chauffé préalablement et flambez.

* Pour les crêpières à tremper : 150 g de farine et 2 œufs.

192

CRÊPES BRÉSILIENNES AU CAFÉ

Très facile
Bon marché
Préparation : 15 mn

POUR 24 CRÊPES :

La pâte* :

- **250 g de farine tamisée**
- **1/2 cuil. à café de sel fin**
- **2 cuil. à soupe d'huile ou 50 g de beurre fondu**
- **3 œufs**
- **1/2 l de lait ou 1/4 l de lait + 1/4 l d'eau**
- **2 cuil. à soupe de sucre semoule**
- **1 cuil. à soupe de rhum**

La garniture :

- **2 boîtes de crème au café (510 g)**
- **30 g de sucre glace**
- **50 g d'amandes effilées**

1. Préparez la pâte à crêpes classique (voir p. 178).

2. Faites cuire les crêpes sur la crêpière.

3. Sur chaque crêpe cuite, étalez une couche fine de crème au café et roulez.

4. Disposez les crêpes roulées dans un plat allant au four, saupoudrez de sucre et d'amandes effilées.

5. Passez à four chaud pendant 5 minutes.

* Pour les crêpières à tremper : 150 g de farine et 2 œufs.

CRÊPES BRETONNES AUX DEUX FARINES

Très facile
Raisonnable
Préparation : 15 mn

POUR 18 CRÊPES :

La pâte* :

- 200 g de farine tamisée
- 3 cuil. à soupe de farine de blé noir (sarrasin)
- 2 cuil. à soupe d'huile ou 50 g de beurre fondu
- 2 œufs
- 75 g de beurre demi-sel
- 1/4 de l de lait + 1/4 de l d'eau (environ)
- 75 g de sucre
- 1/2 cuil. à café de cannelle
- 1 cuil. à soupe de cognac

La garniture :

- confiture, miel, chocolat râpé, au choix

1. Mélangez dans une terrine les deux farines, faites un puits au centre pour y mettre le sucre et les œufs.

2. Délayez, en incorporant peu à peu les farines au mélange sucre et œufs.

3. Ajoutez le lait au fur et à mesure, en continuant à bien travailler la pâte, puis le beurre fondu et enfin la quantité d'eau nécessaire pour obtenir une pâte fluide mais pas trop coulante.

4. Parfumez avec la cannelle et le cognac.

5. Faites cuire les crêpes sur la crêpière chaude.

6. Pendant la cuisson de la deuxième face de chaque crêpe, posez au centre une noisette de beurre 1/2 sel qui fond à la chaleur, pliez en 4 et servez immédiatement avec l'accompagnement choisi.

* Pour les crêpières à tremper : 125 g de farine tamisée, 2 cuillerées à soupe de farine de blé noir et 1 œuf.

CRÊPES A LA CHAMPENOISE

Facile
Raisonnable
Préparation : 15 mn
+ 35 mn
pour la crème frangipane
POUR 16 CRÊPES :
(2 plats de 8 crêpes)

La pâte* :
- 200 g de farine tamisée
- 1/2 cuil. à café de sel fin
- 1 cuil. à soupe d'huile
ou 25 g de beurre fondu
- 4 œufs
- 1/2 l de lait
- 2 cuil. à soupe de sucre
semoule
- 1 gousse de vanille
- 1 cuil. à soupe de marc
de champagne

La garniture :
crème frangipane

- 1/2 l de lait
- 1 gousse de vanille
- 50 g de sucre semoule
- 30 g de farine
- 1 pincée de sel
- 1 œuf entier + 2 jaunes
d'œufs
- 75 g de poudre
d'amandes

Décor :
- 20 g de beurre
- 50 g de sucre glace
- 1 dl de marc de
champagne
- 1 cuil. à soupe
d'amandes effilées

(1)

(2)

(3)

(4)

1. Faites bouillir le lait avec la gousse de vanille et laissez-le refroidir.
2. Préparez la pâte à crêpes selon la recette de la pâte classique *(1)* (voir p. 178) mais en respectant les proportions ci-dessus et en ajoutant le lait seulement quand il aura refroidi. *(2)*
3. Préparez une crème frangipane :
— faites bouillir le lait vanillé,
— pendant ce temps, mélangez l'œuf entier + les 2 jaunes avec le sucre, la farine et le sel,
— délayez avec le lait chaud, et faites épaissir sur feu doux en remuant sans arrêt *(3)* avec une cuillère en bois,
— retirez du feu au 1er bouillon et incor-

porez la poudre d'amandes en la mélangeant soigneusement. *(4)*
4. Faites cuire les crêpes sur la crêpière chaude.
5. Placez une grosse cuillerée de crème frangipane sur 1/4 de la surface de chaque crêpe.
6. Pliez-les en 4 et disposez-les dans un plat à four rond et beurré, les pointes des triangles de crêpes au centre. Saupoudrez-les de sucre glace et d'amandes effilées.
7. Passez à four très vif 5 mn. Arrosez de marc chauffé et flambez au moment de servir.

* *Pour les crêpières à tremper :*
125 g de farine et 2 œufs.

CRÊPES AU CHOCOLAT

Facile
Raisonnable
Préparation : 15 mn
+ 20 mn
pour la sauce chocolat

POUR 24 CRÊPES :

La pâte* :

- 250 g de farine tamisée
- 1/2 cuil. à café de sel fin
- 2 cuil. à soupe d'huile
ou 50 g de beurre fondu
- 3 œufs
- 1/2 l de lait ou 1/4 de l
de lait + 1/4 de l d'eau
- 2 cuil. à soupe de sucre
semoule
- 1 zeste d'orange râpé
non traité

La garniture :

- 1 plaque de 125 g de
chocolat noir
- 20 noix, 20 amandes,
20 noisettes
- 1/2 verre de crème
fraîche (fleurette)

1. Préparez la pâte à crêpes selon la recette classique (voir p. 178) en la parfumant avec le zeste d'orange râpé.

2. Faites fondre le chocolat noir au bain-marie avec la crème fraîche. Dosez le liquide de manière à obtenir une sauce au chocolat qui nappe la cuillère.

3. Hachez les noix, les amandes et les noisettes, mélangez-les bien avant de les ajouter au chocolat. Maintenez la sauce au chaud.

4. Faites cuire les crêpes sur la crêpière chaude.

5. Nappez chaque crêpe d'une couche de sauce chocolat.

6. Pliez-les en 4 ou roulez-les et servez immédiatement.

Pour un goûter d'enfant vous pouvez ajouter un peu de sauce chocolat sur les crêpes roulées et parsemez de grains de sucre de couleur achetés chez le confiseur.

* Pour les crêpières à tremper : 150 g de farine et 2 œufs.

CRÊPES FLAMANDES AU SUCRE ROUX

Très facile
Bon marché
Préparation : 15 mn

POUR 24 CRÊPES :

La pâte* :

- 250 g de farine tamisée
- 1/2 cuil. à café de sel fin
- 2 cuil. à soupe d'huile ou 50 g de beurre fondu
- 3 œufs
- 1/2 l de lait ou 1/4 de l de lait + 1/4 de l d'eau
- 2 cuil. à soupe de sucre roux
- 1/2 cuil. à café de cannelle

La garniture :

- 100 g de beurre frais
- 1 cuil. à café de cannelle
- 100 g de cassonade ou sucre roux

1. Préparez la pâte à crêpe une heure à l'avance de préférence, selon la recette de la pâte à crêpes classique (voir p. 178) en ajoutant de la cannelle.

2. Parfumez le sucre roux avec la cannelle en les mélangeant soigneusement.

3. Pendant ce temps, faites chauffer la crêpière.

4. Servez chaque crêpe cuite, saupoudrée de sucre roux parfumé à la cannelle, en posant au centre une petite noix de beurre frais qui fond au contact de la chaleur de la crêpe.

* Pour les crêpières à tremper : 150 g de farine et 2 œufs.

CRÊPES FLAMBÉES AU GRAND-MARNIER

Facile
Raisonnable
Préparation : 15 mn

POUR 24 CRÊPES :

La pâte* :

- 250 g de farine tamisée
- 1/2 cuil. à café de sel fin
- 2 cuil. à soupe d'huile
- 3 œufs
- 1/2 l de lait ou 1/4 de l de lait + 1/4 de l d'eau
- 2 cuil. à soupe de sucre semoule
- 3 cuil. à soupe de Grand-Marnier

La garniture :

- Grand-Marnier pour flamber
- sucre semoule

1. Préparez la pâte à crêpes selon la recette classique (voir p. 178) en y ajoutant 3 cuillerées à soupe de Grand-Marnier.

2. Faites chauffer la crêpière, et faites cuire des crêpes minces et dorées.

3. Pliez-les en 4 ou roulez-les au fur et à mesure de leur cuisson et placez-les sur un plat maintenu très chaud.

4. Dès que le plat est garni, saupoudrez de sucre semoule et arrosez *(2)* de Grand-Marnier chauffé au préalable dans une petite casserole. *(1).*

5. Flambez immédiatement et arrosez à la cuillère pour que tout *(3)* l'alcool brûle. Dès que la flamme est éteinte, déposez au centre une noisette de beurre qui fond immédiatement.

* Pour les crêpières à tremper 150 g de farine et 2 œufs.

(1)

(2)

(3)

CRÊPES FOURRÉES AUX CERISES

Facile
Raisonnable
Préparation : 15 mn
+ 25 mn
pour la crème pâtissière

POUR 24 CRÊPES :

La pâte* :

- 250 g de farine tamisée
- 1/2 cuil. à café de sel fin
- 2 cuil. à soupe d'huile
ou 50 g de beurre fondu
- 3 œufs
- 1/2 l de lait ou 1/4 de l
de lait + 1/4 de l d'eau
- 2 cuil. à soupe de sucre
semoule

La garniture :

- 500 g de cerises
- 180 g de sucre semoule

La crème pâtissière :

- 1/2 l de lait
- 4 jaunes d'œufs
- 40 g de farine
- 100 g de sucre
- 1 gousse de vanille
- 2 cuil. à soupe de crème
fraîche
- 100 g de sucre glace

1. Après les avoir lavées, équeutées et dénoyautées, coupez les cerises par moitié puis mettez-les dans un saladier avec le sucre. Laissez-les macérer.

2. Préparez la pâte à crêpes selon la recette de la pâte classique (voir p. 178).

3. Faites une crème pâtissière :
— Portez le lait à ébullition avec la vanille fendue en deux.
— Laissez infuser 5 mn à couvert. Délayez les jaunes avec le sucre jusqu'à ce que le mélange blanchisse.
— Ajoutez la farine, puis, petit à petit le lait bouillant.
— Remettez sur le feu sans cesser de tourner jusqu'à ce que le mélange épaississe. Incorporez la crème fraîche. Gardez au chaud.

4. Faites chauffer la crêpière et faites cuire des crêpes dorées.

5. Sur chaque quart de crêpes cuites, disposez une grosse cuillerée à soupe de cerises et une de crème pâtissière.

6. Repliez les crêpes en 4, saupoudrez-les de sucre glace, servez immédiatement sur un plat maintenu très chaud.

Opérez très vite pour que les crêpes restent chaudes.

* Pour les crêpières à tremper : 150 g de farine et 2 œufs.

CRÊPES GEORGETTE A L'ANANAS

Facile
Raisonnable
Préparation : 15 mn

POUR 24 CRÊPES :

La pâte* :

- 250 g de farine tamisée
- 1/2 cuil. à café de sel fin
- 2 cuil. à soupe d'huile
ou 50 g de beurre fondu
- 3 œufs
- 1/2 l de lait ou 1/4 l de
lait + 1/4 de l d'eau
- 2 cuil. à soupe de sucre
semoule

La garniture :

- 1 boîte 4/4 ou 12
tranches d'ananas au sirop
- 2 dl de Kirsch
- 1/2 dl de liqueur
d'orange ou de Curaçao
- 50 g de sucre
- confiture d'abricot

1. Égouttez les tranches d'ananas. Ne gardez que la moitié du jus.

2. Mettez-les dans un saladier avec le kirsch, la liqueur d'orange, le sucre et le jus. Laissez-les macérer 1 heure.

3. Préparez la pâte à crêpes selon la recette de la pâte classique (voir p. 178).

4. Retirez les tranches d'ananas. Réservez-en deux pour la décoration. Coupez 6 des tranches en 4. Hachez grossièrement les autres. Mettez la confiture d'abricots dans une casserole. Mélangez-la avec le jus de macération et l'ananas haché. Portez sur le feu. Laissez réduire légèrement.

5. Faites cuire les crêpes sur la crêpière chaude.

6. Sur chaque crêpe cuite, déposez au centre une cuillère du mélange abricot/ananas, roulez les crêpes. Disposez-les au fur et à mesure sur un plat chaud.

7. Décorez avec les tranches d'ananas restant. Servez les crêpes bien chaudes.

Pour les crêpières à tremper : 150 g de farine et 2 œufs.

CRÊPES LÉGÈRES

Facile
Raisonnable
Préparation : 15 mn

POUR 24 CRÊPES :

La pâte* :

- **250 g de farine tamisée**
- **1/2 cuil. de sel fin**
- **2 cuil. à soupe d'huile ou 50 g de beurre fondu**
- **3 œufs**
- **1/2 l de lait ou 1/4 de l de lait + 1/4 de l d'eau**
- **2 cuil. à soupe de sucre semoule**
- **1 sachet de sucre vanillé ou 1/2 zeste de citron râpé non traité**
- **1/2 verre à bordeaux de Fine, d'Armagnac ou de rhum**

La garniture :

- **Sucre semoule**

1. Mettez la farine dans une terrine en faisant un puits au centre.

2. Battez 3 jaunes d'œufs, en réservant les blancs.

3. Placez au centre de la farine les jaunes d'œufs, le sel, le sucre, l'huile, le sucre vanillé.

4. Ajoutez le lait progressivement en battant au fouet pour obtenir une pâte lisse, puis l'alcool choisi.

5. Juste avant la cuisson, ajoutez à la pâte qui aura reposé une heure environ, les 3 blancs battus en neige molle.

6. Fouettez à nouveau la pâte pour la rendre homogène et légère.

7. Faites cuire les crêpes sur la crêpière, et servez-les avec du sucre en poudre.

Variante :

• Vous pouvez servir ces crêpes très légères avec de la gelée de pommes étalée en couche fine sur chaque crêpe, qui est ensuite roulée.

* Pour les crêpières à tremper : 150 g de farine et 2 œufs.

CRÊPES AU MIEL ET NOIX

Facile
Raisonnable
Préparation : 15 mn

POUR 24 CRÊPES :

La pâte à la levure* :

(à préparer 3 heures avant
la cuisson)
- 250 g de farine tamisée
- 20 g de levure (levure de
boulanger)
- 1/2 cuil. à café de sel fin
- 50 g de beurre fondu
- 2 œufs
- 5 cuil. à soupe de lait
(pour délayer la levure)
- 1/2 l de lait
- 2 cuil. à soupe de sucre
semoule

La garniture :

- 5 cuil. à soupe de miel
- 150 g de noix pilées

1. Émiettez la levure et délayez-la dans 5 cuillerées à soupe de lait tiède.

2. Mettez la farine tamisée dans une terrine, faites un puits au centre, pour y verser la levure délayée dans le lait.

3. Mélangez à la cuillère de bois en incorporant peu à peu environ la moitié de la farine.

4. Ajoutez au centre, les œufs entiers, le beurre fondu, le sucre, le sel.

5. Mélangez le tout vigoureusement pour obtenir une pâte très lisse.

6. Laissez reposer trois heures à température ambiante.

7. Juste avant de faire cuire les crêpes, ajoutez le demi litre de lait restant, en remuant bien.

8. Écrasez les noix et mélangez-les immédiatement au miel.

9. Sur la crêpière chaude, faites cuire les crêpes mais juste avant la fin de la cuisson de la 2e face de chaque crêpe, étendez une couche mince de miel aux noix.

10. A la fin de la cuisson, pliez la crêpe en 4 et servez immédiatement.

Pour les crêpières à tremper : 150 g de farine et 2 œufs.

CRÊPES NORMANDES

Facile
Raisonnable
Préparation : 15 mn

POUR 24 CRÊPES :

La pâte* :

■ 250 g de farine tamisée
■ 1/2 cuil. à café de sel fin
■ 2 cuil. à soupe d'huile
■ 3 œufs
■ 1/2 l de lait ou 1/4 de l de lait + 1/4 de l d'eau
■ 2 cuil. à soupe de sucre semoule

■ 3 cuil. à soupe de Grand-Marnier + 2 cuil. à soupe de sucre semoule
■ 3 pommes reinette
■ 1 verre 1/2 à liqueur de Calvados

1. Coupez les pommes épluchées en très petits cubes (3 à 4 mm de côté).

2. Arrosez-les de Calvados et laissez macérer pendant 1/2 heure.

3. Préparez la pâte à crêpes selon la recette de la pâte classique (voir p. 178).

4. Laissez reposer la pâte pendant 1/2 heure à 1 heure.

5. Commencez à cuire les crêpes sur la crêpière chaude.

6. Quand le premier côté est à moitié cuit, parsemez de petits cubes de pommes, égouttés, continuez la cuisson en comptant un peu plus de temps que d'habitude (les cubes de pommes doivent adhérer à la pâte).

7. Retournez la crêpe délicatement et laissez cuire le 2e côté.

8. Avant de cuire les suivantes, enlevez de la plaque les brins de pâte et de pommes qui peuvent rester collés.

9. Tenez au chaud et servez ces crêpes moelleuses et parfumées, saupoudrées de sucre semoule.

* Pour les crêpières à tremper : 150 g de farine et 2 œufs. Pour cette recette il est indispensable de retourner la crêpe et de faire cuire le 2e côté.

CRÊPES A L'ORANGE

Très facile
Raisonnable
Préparation : 15 mn

POUR 24 CRÊPES :

La pâte* :

- 250 g de farine tamisée
- 1/2 cuil. à café de sel fin
- 2 cuil. à soupe d'huile ou 50 g de beurre fondu
- 3 œufs
- 1/2 l de lait ou 1/4 de l de lait + 1/4 de l d'eau
- 2 cuil. à soupe de sucre semoule
- le jus de 2 oranges
- 1 zeste d'orange non traité

Pour flamber :

- 1 dl de Cognac

1. Préparez la pâte à crêpes selon la recette de la pâte classique (p. 178).

2. Battez-la bien au fouet en ajoutant le jus des oranges et le zeste haché.

3. Faites les crêpes sur la crêpière chaude, tenez-les au chaud.

4. Chauffez le cognac, arrosez les crêpes saupoudrées de sucre et flambez.

Variante :

1. Faites une pâte à crêpes classique (voir p. 178) simplement parfumée avec un zeste d'orange.

2. Préparez à part une sauce à l'orange, faite avec le jus de deux oranges, mélangé à chaud dans une petite casserole émaillée, avec 75 g de sucre et 30 g de beurre.

3. Faites cuire les crêpes, pliez-les en quatre, *(1)* disposez-les en éventail sur un plat tenu au chaud. *(2)*

4. Arrosez de sauce à l'orange au moment de servir.

* Pour les crêpières à tremper : 150 g de farine et 2 œufs.

(1)

(2)

CRÊPES PANACHÉES : ORANGES, BANANES, POIRES ET CERISES CONFITES

Très facile
Raisonnable
Préparation : 10 mn

POUR 24 CRÊPES :

La pâte* :

- **250 g de farine tamisée**
- **1/2 cuil. à café de sel fin**
- **2 cuil. à soupe d'huile ou 50 g de beurre fondu**
- **3 œufs**
- **1/2 l de lait ou 1/4 de l de lait + 1/4 de l d'eau**
- **2 cuil. à soupe de sucre semoule**

La garniture :

- **4 bananes**
- **4 oranges**
- **4 poires**
- **120 g de sucre semoule**
- **3 verres à liqueur de kirsch**
- **200 g de cerises confites**

- **100 g de sucre glace**

1. Épluchez et coupez les fruits en dés, et faites-les macérer avec le kirsch pendant 1 heure.

2. Préparez la pâte à crêpes selon la recette de la pâte classique (voir p. 178).

3. Égouttez les fruits et ajoutez le sucre.

4. Faites chauffer la crêpière et faites cuire les crêpes bien dorées.

5. Placez une cuillère à soupe de salade de fruits sur un quart de chaque crêpe et pliez-la en 4.

6. Disposez les crêpes fourrées en éventail sur un plat chaud et le reste de salade de fruits servi à part dans un bol.

7. Saupoudrez les crêpes de sucre glace avant de servir.

* Pour les crêpières à tremper : 150 g de farine et 2 œufs.

CRÊPES A LA PURÉE DE PRUNEAUX

Facile
Raisonnable
Préparation : 15 mn
+ 15 mn
pour cuire les pruneaux

POUR 24 CRÊPES :

La pâte* :

- 250 g de farine tamisée
- 1/2 cuil. à café de sel fin
- 2 cuil. à soupe d'huile ou 50 g de beurre fondu
- 3 œufs
- 1/2 l de lait ou 1/4 de l de lait + 1/4 de l d'eau
- 2 cuil. à soupe de sucre semoule

La garniture :

- 500 g de pruneaux d'Agen
- 150 g de cerneaux de noix
- 4 œufs
- 1 dl de kirsch
- 300 g de sucre semoule
- 2 bols de thé de Ceylan
- 1 orange, pour décorer le plat

1. Préparez la pâte à crêpes selon la recette de la pâte classique (voir p. 178).

2. Mettez à tremper les pruneaux dans le thé pendant 30 mn.

3. Ensuite, faites-les cuire dans le thé environ 15 mn. Égouttez-les dès qu'ils sont cuits. Laissez-les refroidir avant de les dénoyauter.

4. Passez-les au mixeur pour obtenir une purée à laquelle vous ajouterez les noix hachées.

5. Mélangez bien la purée de pruneaux, les noix, le sucre et le kirsch.

6. Ajoutez les jaunes d'œufs à ce mélange, que vous travaillez pour obtenir une pâte homogène.

7. Battez les blancs en neige très ferme et incorporez-les à la préparation.

8. Faites chauffer la crêpière et faites cuire des crêpes blondes.

9. Tartinez chaque crêpe de la pâte de pruneaux avant de les rouler.

10. Disposez les crêpes dans un plat allant au four, saupoudrez légèrement de sucre, et passez-les au gril 5 à 6 mn.

11. Servez les crêpes sur un plat de service entourées de rondelles d'oranges.

Note : Vous pouvez utiliser de la crème de pruneaux toute prête.

* Pour les crêpières à tremper : 150 g de farine et 2 œufs.

CRÊPES AUX RAISINS DE CORINTHE

Très facile
Raisonnable
Préparation : 15 mn

POUR 24 CRÊPES :

La pâte* :

■ 250 g de farine tamisée
■ 1/2 cuil. à café de sel fin
■ 2 cuil. à soupe d'huile ou 50 g de beurre fondu
■ 3 œufs
■ 1/2 l de lait ou 1/4 de l de lait + 1/4 de l d'eau
■ 2 cuil. à soupe de sucre semoule
■ 1 verre à liqueur de rhum
■ 100 g de raisins de Corinthe

La garniture :

■ 1/2 pot de marmelade d'oranges

1. Faites macérer à l'avance les raisins dans le rhum.

2. Préparez la pâte à crêpes selon la recette de la pâte à crêpes classique (voir p. 178).

3. Travaillez bien le mélange pour obtenir une pâte lisse.

4. Ajoutez alors le rhum et les raisins.

5. Laissez reposer 1/2 heure environ.

6. Faites chauffer la crêpière et faites cuire les crêpes bien dorées.

7. Tartinez chaque crêpe d'une mince couche de marmelade d'oranges et pliez-les en 4.

Variante :

Saupoudrez de sucre et passez le plat à four très chaud pendant 5 minutes.

Au moment de servir, décorez les crêpes avec des rondelles d'oranges crues et arrosez de liqueur à l'orange puis flambez.

* Pour les crêpières à tremper : 150 g de farine et 2 œufs.

CRÊPES AU RIZ

Facile
Bon marché
Préparation : 15 mn

POUR 24 CRÊPES :

La pâte* :
- **250 g de farine tamisée**
- **1/2 cuil. à café de sel fin**
- **2 cuil. à soupe d'huile ou 50 g de beurre fondu**
- **3 œufs**
- **1/2 l de lait ou 1/4 de l de lait +1/4 de l d'eau**
- **1 zeste de citron**
- **100 g de riz de Madagascar**
- **1/2 l de lait vanillé pour la cuisson du riz**
- **75 g de sucre en poudre**

1. Préparez la pâte à crêpes selon la recette de la pâte classique (voir p. 178) mais en respectant les proportions ci-contre. Laissez-la reposer une heure.

2. Pendant ce temps, lavez le riz. Plongez-le 2 mn dans de l'eau bouillante, puis égouttez-le.

3. Faites-le cuire alors, dans le lait vanillé, à couvert.

4. Lorsque les grains de riz sont moelleux, ajoutez le sucre en mélangeant délicatement avec une fourchette. Laissez refroidir.

5. Mélangez alors le riz cuit à la pâte à crêpes et rectifiez au besoin l'épaisseur de la pâte obtenue en ajoutant un peu d'eau.

6. Faites chauffer la crêpière et faites bien cuire les crêpes qui seront un peu plus épaisses que de coutume. Les crêpes au riz sont servies avec de la confiture.

* Pour les crêpières à tremper : 150 g de farine et 2 œufs.

CRÊPES SALÉES AU BŒUF CUIT

Facile
Bon marché
Préparation : 10 mn

POUR 12 CRÊPES :

La pâte* :

- 125 g de farine tamisée
- 1/2 cuil. à café de sel fin
- 1 pincée de sucre semoule (pour obtenir des crêpes dorées)
- 1 cuil. à soupe d'huile
- 1 gros œuf ou de préférence 2 petits
- 1/4 de l de lait ou moitié lait moitié eau

La garniture :

- bœuf mode déjà cuit et découpé en fines lamelles
- une pointe de cayenne
- sel, poivre

1. Préparez une pâte à crêpes selon la recette de la pâte classique, non sucrée (voir p. 178).

2. Ajoutez à la pâte les fines lamelles de bœuf cuit.

3. Mélangez bien et rectifiez l'assaisonnement en ajoutant sel et poivre et une pointe de cayenne.

4. Faites chauffer la crêpière et faites cuire les crêpes selon la méthode habituelle, en soulevant régulièrement avec la spatule pour qu'elles n'attachent pas.

5. Servez les crêpes accompagnées d'une salade de pissenlits au lard, ou d'une salade d'endives aux noix.

* Pour les crêpières à tremper : 75 g de farine et 1 œuf.

CRÊPES SALÉES A LA CHINOISE

Facile
Raisonnable
Préparation : 10 mn

POUR 12 CRÊPES :

La pâte* :

- 125 g de farine tamisée
- 1/2 cuil. à café de sel fin
- 1 pincée de sucre semoule (pour obtenir des crêpes dorées)
- 1 cuil. à soupe d'huile
- 1 gros œuf ou de préférence 2 petits
- 1/4 de l de lait ou moitié lait moitié eau

La garniture :

- 1 carotte râpée
- 250 g de germes de soja frais
- quelques champignons noirs séchés
- 200 g de viande blanche cuite : poulet, veau ou jambon
- quelques feuilles de menthe fraîche
- 3 cuil. à soupe d'huile
- 2 cuil. à soupe de sauce soja
- sel +un peu de sauce pimentée

1. Préparez la pâte à crêpes selon la recette de la pâte classique non sucrée (voir p. 178).

2. Trempez quelques minutes les champignons noirs dans de l'eau chaude. Égouttez-les, et coupez-les en morceaux.

3. Lavez les germes de soja et plongez-les dans une casserole d'eau bouillante salée. Dès que l'ébullition recommence, égouttez-les.

4. Mélangez dans un grand saladier, la carotte râpée, les champignons coupés, les germes de soja, les feuilles de menthe fraîche, la viande découpée en tout petits morceaux, du sel, l'huile, la sauce soja et prudemment un peu de sauce pimentée. Goûtez pour rectifier l'assaisonnement.

5. Remuez le tout, comme une salade.

6. Faites chauffer la crêpière et faites cuire les crêpes selon la méthode habituelle.

7. Au centre de chaque crêpe cuite, déposez un peu de salade chinoise, en la répartissant sur la surface.

8. Roulez les crêpes et servez-les accompagnées de sauce soja.

* Pour les crêpières à tremper : 75 g de farine et 1 œuf.

CRÊPES SALÉES AUX CREVETTES

Facile
Raisonnable
Préparation : 10 mn
+15 mn
pour la mayonnaise

POUR 12 CRÊPES :

La pâte * :

- 125 g de farine tamisée
- 1/2 cuil. à café de sel fin
- 1 pincée de sucre semoule pour obtenir des crêpes dorées)
- 1 cuil. à soupe d'huile
- 1 gros œuf ou de préférence 2 petits
- 1/4 de l. de lait ou moitié lait moitié eau

La garniture :

- 150 g de crevettes décortiquées
- 1 bol de mayonnaise
- 1 grosse cuil. à soupe de concentré de tomate
- 1 grosse cuil. à soupe de crème fraîche
- 1 citron
- sel, poivre

Feuilles de laitue, tomates, citron, pour la présentation

1 Préparez la pâte à crêpes selon la recette de la pâte classique non sucrée (voir p. 178).

2. Faites chauffer la crêpière et faites cuire les crêpes selon la méthode habituelle.

3. Au fur et à mesure de la cuisson, intercalez entre chaque crêpe une languette de papier aluminium en laissant dépasser un morceau. Laissez refroidir les crêpes.

4. Préparez une mayonnaise dans une terrine et ajoutez-lui la tomate concentrée, la crème fraîche, le jus de citron.

5. Mélangez bien et rectifiez l'assaisonnement si nécessaire en ajoutant sel et poivre, pour obtenir un goût relevé.

6. Au dernier moment ajoutez délicatement les crevettes décortiquées.

7. Au centre de chaque crêpe refroidie, déposez une bonne cuillerée de crevettes à la mayonnaise.

8. Roulez-les et présentez-les sur des feuilles de laitues avec des quartiers de tomates et de citron.

* Pour les crêpières à tremper : 75 g de farine et 1 œuf.

CRÊPES SALÉES AUX ENDIVES ET AU JAMBON

Facile
Raisonnable
Préparation : 10 mn
+ 15 mn
pour la sauce Mornay

POUR 12 CRÊPES :

La pâte * :

- 125 g de farine tamisée
- 1/2 cuil. à café de sel fin
- 1 pincée de sucre semoule (pour obtenir des crêpes dorées)
- 1 cuil. à soupe d'huile
- 1 gros œuf ou de préférence 2 petits
- 1/4 de l de lait ou moitié lait moitié eau

La garniture :

- 12 endives moyennes
- 6 tranches de jambon de Paris
- 60 g de beurre
- 50 g de gruyère râpé
- sel et poivre

Pour la sauce Mornay :

- 60 g de beurre
- 2 cuil. à soupe de farine
- 3/4 de l de lait
- 100 g de gruyère râpé
- sel et poivre
- 1 pincée de muscade

1. Préparez la pâte à crêpes selon la recette de la pâte classique non sucrée (voir p. 178).

2. Lavez et essuyez soigneusement les endives. Si elles sont courtes et rondes, coupez-les en deux, dans le sens de la longueur.

3. Faites-les cuire à la poêle avec 60 g de beurre, salez et poivrez.

4. Faites chauffer la crêpière et faites cuire les crêpes selon la méthode habituelle.

5. Préparez la sauce Mornay :
Dans une casserole épaisse faites fondre 60 gr. de beurre, dès qu'il a fondu, ajoutez les 2 cuillères à soupe de farine. Remuez bien avec le fouet à sauce et ajoutez le lait froid, en une fois, et hors du feu, mais sans cesser de battre au fouet. Remettez sur le feu, tout en battant jusqu'au moment de l'ébullition.
Salez, poivrez. Laissez cuire la sauce qui doit seulement frémir pendant une dizaine de minutes. Hors du feu, ajoutez le gruyère râpé, en le mélangeant bien. Assaisonnez avec la muscade.

6. Faites chauffer la crêpière et faites cuire les crêpes selon la méthode habituelle.

7. Dans chaque crêpe cuite, déposez une endive cuite, préalablement roulée dans une demi-tranche de jambon.

8. Roulez les crêpes et disposez-les dans un plat à gratin beurré.

9. Recouvrez le tout de sauce Mornay, saupoudrez de gruyère râpé et ajoutez quelques noisettes de beurre.

10. Mettez à gratiner dans le haut du four (th. 8/9) pendant 5 mn environ.

11. Servez dans le plat de cuisson.

* Pour les crêpières à tremper : 75 g de farine et 1 œuf.

CRÊPES SALÉES AU HADDOCK

Facile
Raisonnable
Préparation : 25 mn

POUR 12 CRÊPES :

La pâte * :

- 125 g de farine tamisée
- 1/2 cuil. à café de sel fin
- 1 pincée de sucre
semoule (pour obtenir des
crêpes dorées)
- 1 cuil. à soupe d'huile
- 1 gros œuf ou de
préférence 2 petits
- 1/4 de l de lait ou moitié
lait moitié eau

La garniture :

- 750 g de haddock
- 3/4 de l de lait
- 100 g de beurre

Sauce béchamel au curry :

- 3/4 de l. de lait
- 50 g de farine
- 50 g de beurre
- 1 cuil. à café de curry
- sel, poivre

1. Préparez la pâte à crêpes selon la recette de la pâte classique non sucrée (voir p. 178).

2. Lavez le haddock à grande eau et faites-le pocher dans 3/4 de litre de lait allongé de 3/4 de litre d'eau, non salés.

3. Portez à ébullition lentement et laissez frémir pendant 15 mn.

4. Égouttez le haddock et quand il est un peu refroidi, découpez-le en petits morceaux.

5. Faites une béchamel avec les proportions indiquées ci-dessus. Faites fondre 50 g de beurre, ajoutez 50 g de farine en remuant sans arrêt avec une cuillère en bois. Le mélange devient mousseux, versez alors en une fois le lait froid et le curry. Salez et poivrez, remuez sans arrêt jusqu'à épaississement de la sauce. Laissez cuire à feu très doux pendant une dizaine de minutes.

6. Pendant ce temps, faites cuire les crêpes sur la crêpière bien chaude.

7. Sur chaque crêpe cuite, étalez une couche de béchamel au curry à laquelle vous aurez mélangé à la fin de sa cuisson, le haddock émietté.

8. Roulez les crêpes, disposez-les sur un plat allant au four.

9. Servez après quelques minutes de four chaud, mais sans gratiner.

* Pour les crêpières à tremper : 75 g de farine et 1 œuf.

CRÊPES SALÉES AUX POMMES DE TERRE*

Très facile
Bon marché
Préparation : 20 mn

POUR 8 PERSONNES :

- 200 g de pain rassis
- 1/2 l de lait environ
- 1/2 cuil. à café de sel
- 1 kg de pommes de terre (Bintje)
- 75 g de beurre
- 50 g de crème fraîche

1. Émiettez le pain rassis et faites-le tremper dans le lait tiède. Salez légèrement.

2. Épluchez les pommes de terre et râpez-les finement.

3. Séchez avec du papier absorbant les pommes de terre râpées.

4. Battez les œufs en omelette dans une grande terrine, pour pouvoir ajouter les pommes de terre râpées et la mie de pain.

5. Battez le tout pour obtenir une pâte épaisse mais homogène.

6. Faites chauffer la crêpière. Quand elle est bien chaude, graissez-la avec une petite noisette de beurre et étalez une couche de pâte de 1/2 cm d'épaisseur.

7. Laissez cuire 5 mn. environ en surveillant la cuisson en soulevant délicatement les bords de la crêpe avec la spatule.

8. Quand le premier côté est doré, arrosez vivement le côté à cuire avec une cuillerée à café de crème fraîche et retournez complètement la crêpe avec la spatule.

9. Laissez cuire encore 5 mn.

10. Tenez les crêpes au chaud avant de les servir avec du jambon ou du fromage.

* Cette recette n'est pas réalisable avec une crêpière à tremper.

CRÊPES SALÉES AU ROQUEFORT

Facile
Raisonnable
Préparation : 10 mn
+ 5 mn
pour la crème au roquefort

POUR 12 CRÊPES :

La pâte* :

- 125 g de farine tamisée
- 1/2 cuil. à café de sel fin
- 1 pincée de sucre semoule (pour obtenir des crêpes dorées)
- 1 cuil. à soupe d'huile
- 1 gros œuf ou de préférence 2 petits
- 1/4 de l de lait ou moitié lait +moitié eau

La garniture :

- 150 g de roquefort
- 75 g de beurre mou
- 2 cuil. à soupe de crème fraîche
- branches de céleri
- poivre

1. Préparez la pâte à crêpes selon la recette de la pâte classique, non sucrée (voir p. 178).

2. Travaillez ensemble le roquefort, le beurre, la crème et un peu de céleri branche très finement coupé. Poivrez.

3. Malaxez fermement pour obtenir une pâte homogène.

4. Faites chauffer la crêpière et faites cuire les crêpes selon la méthode habituelle.

5. Au fur et à mesure de leur cuisson, déposez au centre de la crêpe une cuillère à dessert de la crème au roquefort, étalez légèrement et roulez ou pliez en 4, dans un plat maintenu au chaud.

6. Servez-les en entrée chaude accompagnées de jeunes branches de céleri.

* Pour les crêpières à tremper : 75 g de farine et 1 œuf.

CRÊPES SALÉES RUSSES : BLINIS

Facile
Cher
Préparation : 20 mn
+ temps de repos

**POUR 24 BLINIS DE
1/2 CM D'ÉPAISSEUR :**

La pâte* :

- 200 g de farine de froment
- 150 g de farine de sarrasin
- 15 g de levure fraîche (achetée chez le boulanger)
- 1 cuil. à café de sel fin
- 3 œufs
- 1/4 l de lait
- 1 grand pot de crème fraîche
- 1 yaourt velouté

La garniture :

- saumon fumé
- crème fraîche
- beurre fondu

1. Délayez la levure émiettée dans un peu de lait, puis mélangez-la à la farine de sarrasin.

2. Laissez lever 1 heure ce mélange.

3. Mélangez, d'autre part, la farine de froment avec les 3 jaunes d'œufs, le sel, le reste de lait, la crème fraîche et le yaourt. Travaillez bien pour obtenir une préparation onctueuse et sans grumeaux.

4. Incorporez la farine de sarrasin additionnée de la levure, au mélange précédent. Laissez lever deux heures dans un endroit tiède.

5. Ajoutez, à la dernière minute, à la pâte obtenue les blancs battus en neige ferme.

6. Faites chauffer la crêpière 7 à 8 mn avant de commencer la cuisson.

7. Versez une louche de pâte pour obtenir des blinis d'un 1/2 cm d'épaisseur. *(1)*

8. Enlevez le gabarit, dès que la pâte ne risque plus de s'étaler. *(2)*

9. Dès que le premier côté est cuit, retournez avec la spatule. *(3)*

10. Procédez ainsi pour chaque blinis.

11. Maintenez-les au chaud sur une assiette placée sur une casserole.

12. Servez-les arrosés de beurre fondu chaud, accompagnés de crème fraîche froide, de saumon fumé, d'œufs de poissons, ou de tout autre poisson fumé.

NOTE : pour faciliter la confection des blinis vous pouvez préparer un cercle de carton de 2 cm de hauteur et de 12 cm de diamètre environ, que vous habillerez de papier d'aluminium. Placez-le au centre de la crêpière et versez-y une louche de pâte. Enlevez ce gabarit, dès que la pâte ne risque plus de s'étaler.

Les blinis sont difficilement réalisables avec une crêpière à tremper.

(1)

(2)

(3)

CRÊPES SALÉES SARRASIN AU JAMBON A LA CRÈME

Facile
Bon marché
Préparation : 10 mn

POUR 8 CRÊPES :

La pâte* :

- **200 g de farine de blé noir ou sarrasin**
- **1 œuf**
- **40 g de beurre**
- **4 dl d'eau (environ)**
- **1 pincée de sucre semoule**
- **1 pincée de sel**

La garniture :

- **4 tranches de jambon blanc coupées en 2**
- **200 g de gruyère râpé**
- **1 pot de crème fraîche**

1. Préparez la pâte à crêpes selon la recette des crêpes au bacon et à l'œuf (voir p. 244).

2. Faites chauffer la crêpière et commencez la cuisson des crêpes.

3. Dès que vous avez retourné la crêpe pour cuire la 2e face, déposez au centre une 1/2 tranche de jambon, et parsemez de gruyère râpé.

4. Quand le jambon est bien chaud, le gruyère fondu, nappez-le de crème fraîche et repliez la crêpe sur le jambon, en 4 ou en pannequets.

Variante :

Vous pouvez aussi farcir la crêpe avec le jambon hâché mélangé au gruyère râpé et à la crème. Servez les crêpes farcies pliées en pannequets.

* Pour les crêpières à tremper : 150 g de farine et 1 œuf.

CRÊPES SALÉES SARRASIN
A L'ŒUF ET AU BACON

Facile
Raisonnable
Préparation : 10 mn

POUR 8 CRÊPES :

La pâte* :

- **200 g de farine de blé noir ou sarrasin**
- **1 œuf**
- **40 g de beurre**
- **4 dl d'eau (environ)**
- **1 pincée de sucre semoule**
- **1 pincée de sel**

La garniture :

- **8 tranches de bacon**
- **8 œufs**
- **150 g de gruyère râpé**

1. Faites un puits dans la farine, placez-y l'œuf entier, et incorporez progressivement la farine en ajoutant l'eau au fur et à mesure.

2. Faites fondre le beurre et versez-le dans la pâte avec la pincée de sucre et de sel. Mélangez bien.

3. Faites revenir le bacon dans une poêle et tenez-le au chaud.

4. Faites chauffer la crêpière. Commencez à cuire la première crêpe.

5. Simultanément faites cuire l'œuf à part.

6. Sur chaque crêpe cuite, déposez une ou deux tranches de bacon, selon leur taille, et sur le bacon, l'œuf cuit à point.

7. Servez avec une petite coupe de gruyère râpé.

* Pour les crêpières à tremper 150 g de farine et 1 œuf.

CRÊPES SALÉES AU TARAMA

Facile
Raisonnable
Préparation : 10 mn
+ 10 mn pour le Tarama

POUR 12 CRÊPES :

La pâte* :

- 125 g de farine tamisée
- 1/2 cuil. à café de sel fin
- 1 pincée de sucre semoule (pour obtenir des crêpes dorées)
- 1 cuil. à soupe d'huile
- 1 gros œuf ou de préférence 2 petits
- 1/4 de l de lait ou moitié lait + moitié eau

La garniture :

- 300 g de Tarama acheté tout prêt ou préparé avec :
- 75 g d'œufs de poisson fumé
- 150 g de pain de mie
- 1 verre 1/2 de lait
- 1 oignon moyen
- 3 cuil. à soupe d'huile
- 1 citron
- 1 pot de crème fraîche

1. Préparez la pâte à crêpes selon la recette de la pâte classique non sucrée (voir p. 178).

2. Préparez le tarama :
— Trempez rapidement la mie de pain dans le lait et essorez aussitôt.
— Dans une terrine, travaillez ensemble les œufs de poisson fumé, la mie de pain trempée, l'oignon finement haché, l'huile et le jus de citron.
— Goûtez pour rectifier l'assaisonnement.

3. Faites chauffer la crêpière, et faites cuire les crêpes selon la méthode habituelle.

4. Déposez au centre de chaque crêpe cuite une petite couche de Tarama, en arrosant de jus de citron.

5. Roulez ou pliez en quatre.

6. Servez avec un citron et un petit pot de crème fraîche.

* Pour les crêpières à tremper : 75 g de farine et 1 œuf.

CRÊPES SOUFFLÉES AUX FRUITS ROUGES

Facile
Raisonnable
Préparation : 15 mn
+ 10 mn pour la compote

POUR 24 CRÊPES :

La pâte* :

■ 250 g de farine tamisée
■ 1/2 cuil. à café de sel fin
■ 2 cuil. à soupe d'huile ou
50 g de beurre fondu
■ 3 œufs
■ 1/2 l de lait ou 1/4 de l de
lait + 1/4 de l d'eau
■ une pincée de sucre
semoule

La garniture :

■ 200 g de framboises
■ 200 g de groseilles
■ ou 400 g de framboises,
groseilles ou myrtilles
■ 4 blancs d'œufs
■ 200 g de sucre semoule

1. Préparez la ·pâte à crêpes selon la recette de la pâte à crêpes classique (voir p. 178) mais avec seulement une pincée de sucre semoule.

2. Lavez et égouttez les groseilles.

3. Battez les 4 blancs d'œufs en neige ferme en leur incorporant peu à peu 200 g de sucre.

4. Mélangez groseilles et framboises et ajoutez-les aux blancs en neige.

5. Faites chauffer la crêpière et faites cuire les crêpes blondes.

6. Dans chaque crêpe, placez une cuillerée à soupe du mélange fruits + blancs en neige au centre et roulez les crêpes. Placez-les dans un plat à gratin beurré.

7. Passez à four moyen pendant 1/4 d'heure juste avant de servir.

* Pour les crêpières à tremper : 150 g de farine et 2 œufs.

CRÊPES SUÉDOISES AUX FRAMBOISES

Facile
Raisonnable
Préparation : 15 mn
+ 10 mn pour la compote

POUR 18 CRÊPES :

La pâte* :

- 300 g de farine tamisée
- 1/2 cuil. à café de sel fin
- 6 cuil. à soupe de beurre fondu = 65 g
- 4 œufs entiers
- 1/4 de l de lait + 1/4 de l de crème fleurette
- 2 cuil. à soupe de sucre semoule

La garniture :

Compote de fruits rouges :

- 800 g de framboises, de myrtilles ou de groseilles fraîches ou surgelées + 200 g de sucre
- 200 g de crème fraîche

1. Battez au fouet les œufs entiers avec un verre de lait.

2. Mettez la farine dans une terrine, en faisant un puits au centre.

3. Délayez progressivement les œufs battus avec la farine pour obtenir une pâte épaisse mais parfaitement lisse.

4. Ajoutez à la pâte obtenue le reste du lait, la crème fleurette, le beurre fondu, le sel.

5. Faites la compote : versez les framboises dans une casserole contenant 1/2 litre d'eau. Portez à ébullition, égouttez aussitôt les fruits. Passez-les au mixeur ou à la moulinette. Ajoutez à la purée obtenue 200 g de sucre semoule. Mélangez bien.

6. Faites chauffer la crêpière et commencer la cuisson des crêpes.

7. Placez sur chaque crêpe cuite une cuillerée à soupe de compote de fruits rouges et repliez les bords de la crêpe sur la compote pour obtenir des rectangles.

8. Saupoudrez de sucre chaque rectangle obtenu et tenez-les au chaud à four doux.

9. Servez avec de la crème fraîche liquide.

* Pour les crêpières à tremper : 200 g de farine et 3 œufs.

CRÊPES SUZETTE A L'ORANGE

Facile
Raisonnable
Préparation : 15 mn
+ 10 mn
pour la crème à l'orange

POUR 24 CRÊPES :

La pâte* :

- 250 g de farine tamisée
- 1/2 cuil. à café de sel fin
- 2 cuil. à soupe d'huile ou 50 g de beurre fondu
- 3 œufs
- 1/2 l de lait ou 1/4 de l de lait + 1/4 de l d'eau
- 2 cuil. à soupe de sucre semoule

La garniture :

- 150 g de beurre très frais
- 150 g de sucre glace
- 3 cuil. à soupe de liqueur d'orange ou de curaçao
- 1 zeste d'orange ou de mandarine râpé (non traités)

Pour flamber :

- 2 dl de liqueur d'orange ou de curaçao
- 1 cuil. à soupe de sucre

1. Préparez la pâte à crêpes selon la recette de la pâte classique (voir p. 178).

2. Préparez la crème de garniture : travaillez le beurre sans le chauffer, pour qu'il devienne crémeux.

3. Ajoutez le sucre glace, la liqueur d'orange, mélangez bien avant d'incorporer le zeste d'orange ou de mandarine finement râpé.

4. Étendez sur chaque crêpe tiède une couche de crème à l'orange.

5. Pliez les crêpes en 4 et disposez-les en éventail sur un plat à four.

6. Recouvrez le plat garni d'une feuille d'aluminium avant de le mettre à four doux (th. 3/4) pendant 1/4 d'heure.

7. Au moment de servir, enlevez la feuille d'aluminium, saupoudrez les crêpes de sucre semoule et arrosez-les de liqueur tiédie préalablement pour flamber facilement.

* Pour les crêpières à tremper : 150 g de farine et 2 œufs.

CRÊPES AU THÉ DE CEYLAN

Très facile
Bon marché
Préparation : 15 mn

POUR 24 CRÊPES :

La pâte* :

- 250 g de farine tamisée
- 75 g de beurre
- 3 œufs
- 1/4 de l de lait + 1/4 l de thé de Ceylan fort
- 60 g de sucre semoule
- 1 sachet de sucre vanillé
- 1 cuil. à soupe de rhum

La garniture :

Au choix :
- Confitures, miel ou sucre roux

1. Mettez la farine dans une terrine, faites un puits au centre pour ajouter les œufs entiers, le sucre semoule, le sucre vanillé.

2. Délayez en tournant et en ajoutant le lait au fur et à mesure.

3. Travaillez bien la pâte, versez doucement le beurre fondu puis la quantité de thé nécessaire pour obtenir une pâte fluide sans être coulante.

4. Ajoutez le rhum à la fin.

5. Faites cuire les crêpes sur la crêpière chaude en posant au centre de la crêpe presque cuite une noisette de beurre qui fond à la chaleur.

6. Pliez-les rapidement en 4 et servez très chaud.

7. Ces crêpes se servent nature, ou accompagnées de miel ou de marmelade d'orange.

* Pour les crêpières à tremper : 150 g de farine et 2 œufs.

GATEAU HONGROIS

Facile
Bon marché
Préparation : 15 mn

Ce gâteau est réalisé avec des crêpes à la levure.

POUR UN GATEAU DE 10 CRÊPES :

La pâte à la levure* :

- 120 g de farine tamisée
- 10 g de levure
(levure de boulanger)
- 1/2 cuil. à café de sel fin
- 1 œuf
- 1 cuil. à soupe de lait
(pour délayer la levure)
- 1/4 de l de lait
- 1 cuil. à soupe de sucre semoule
- 1 cuil. à soupe de rhum

La garniture :

- 75 g de noix hachées
- 200 g de fromage blanc égoutté
- 100 g de sucre
- 2 jaunes d'œufs
- 50 g de chocolat râpé
- 75 g de beurre en pommade

La meringue :

- 2 blancs d'œufs
- 80 g de sucre glace

1. Préparez une pâte à crêpes à la levure (voir crêpes au miel p. 212) en respectant les proportions ci-contre.

2. Laissez reposer la pâte 3 heures.

3. Dans trois récipients préparez les trois garnitures :
— Noix hachées grossièrement.
— Fromage blanc travaillé avec 100 g de sucre et 2 jaunes d'œufs.
— Chocolat râpé et manié avec le beurre en crème.

4. Beurrez un moule à manqué (moule à bords lisses) un peu plus large que le diamètre des crêpes.

5. Faites cuire juste à point 10 crêpes sur la crêpière chaude.

6. Remplissez le moule au fur et à mesure de la cuisson des crêpes, et en alternant crêpes et garnitures : 1 crêpe, 1 couche de fromage blanc, 1 crêpe, 1 couche de noix, 1 crêpe, 1 couche de chocolat, 1 crêpe, etc. Terminez par le fromage blanc et 1 crêpe. *(1/2/3)*.

7. Passez le plat terminé, 15 mn à four chaud (th. 7).

8. Pendant ce temps, montez les deux blancs d'œufs en neige ferme, en leur incorporant petit à petit les 80 g de sucre glace.

9. Masquez le dessus du gâteau avec la meringue en vous servant d'une poche à douille cannelée. Remettez sous le gril quelques minutes.

* Pour les crêpières à tremper : 75 g de farine et 1 petit œuf.

(1)   (2)   (3)

GAUFRES CLASSIQUES AU SUCRE GLACE

(pâte avec levure)

Très facile
Bon marché
Préparation : 35 mn

POUR 18 GAUFRES :

- **250 g de farine tamisée**
- **15 g de levure de boulanger ou 1 sachet de levure chimique**
- **4 œufs**
- **1 pincée de sel**
- **125 g de beurre**
- **1/2 l de lait tiède**
- **sucre semoule (facultatif)**

Garniture :

- **100 g de sucre glace**

1. Versez dans une terrine la farine, la levure et le sucre en poudre.

2. Chauffez le lait et le sel, ajoutez le beurre. Faites bouillir.

3. Aussitôt, hors du feu, ajoutez le lait à la farine bien mêlée à la levure et au sucre en poudre. Mélangez avec une spatule.

4. Ajoutez les œufs, en travaillant au fouet pour obtenir une pâte sans grumeaux.

Cuisson des gaufres :

5. Faites chauffer le gaufrier. Il faut 10 à 15 mn selon les modèles.

6. Quand le gaufrier est bien chaud, déposez vivement 2 ou 3 cuillères de pâte, de manière à remplir le moule au ras des alvéoles (éviter d'en mettre trop à cause des débordements). Rabattre la 2e plaque.

7. Si l'appareil le permet, renversez le gaufrier sur sa charnière : la pâte descend au fond des alvéoles du couvercle et la cuisson est très régulière.

8. Maintenez l'appareil fermé pendant 10 secondes environ.

9. La cuisson demande, selon les modèles de gaufriers, de 2 à 4 ou 5 mn.

10. Quand la gaufre semble cuite (elle est bien dorée), détachez-la vivement et posez-la quelques instants sur une grille. Elle devient rapidement dure et croustillante.

11. Servez les gaufres encore chaudes, saupoudrées de sucre glace. Vous pouvez conserver les gaufres dans un four tiède entrouvert.

Notes : Les gaufres sont meilleures tièdes, mais peuvent néanmoins être consommées dans les heures qui suivent leur cuisson. Quand vous les mangez froides, faites-les cuire un peu plus longtemps.

● Le sucre dans la pâte est facultatif, tout dépend de votre goût et de la garniture. Pour que la gaufre nature soit sucrée, vous pouvez ajouter de 50 à 150 g de sucre dans la pâte. Si vous les préférez non sucrées, ajoutez une cuillère à café de sucre dans la pâte pour les faire dorer.

● Vous pouvez parfumer la pâte avec de l'eau de fleur d'oranger, un zeste de citron, 1 cuillère à café de rhum, du sucre vanillé...

GAUFRETTES

Très facile
Bon marché
Préparation : 20 mn

POUR 18 GAUFRETTES :

- **250 g de farine tamisée**
- **100 g de sucre semoule**
- **125 g de beurre fondu**
- **3 œufs**
- **1 cuil. à café de rhum**

1. Mettez la farine dans une terrine. Ajoutez le beurre fondu, le sucre et les œufs.

2. Parfumez avec le rhum.

3. Travaillez la pâte avec une spatule jusqu'à ce qu'elle soit parfaitement homogène. Faites des petites boules d'environ 30 g.

4. Déposez-les sur la plaque de votre gaufrier.

5. Laissez cuire de 2 à 3 mn.

6. Froides, elles accompagneront entremets, crèmes et glaces.

Variantes :

Vous pouvez remplacer le rhum par de la fleur d'oranger, un zeste de citron...

GAUFRES A L'ANCIENNE

(pâte sans levure)

Facile
Bon marché
Préparation : 25 mn

POUR 18 GAUFRES :

- 400 g de farine tamisée
- 1/2 cuil. à café de sel
- 1 cuil. à soupe d'eau de vie
- 1 pincée de cannelle
- 3 œufs
- 50 g de sucre semoule
- 125 g de beurre fondu
- 1/4 de l de lait

Garniture :

- 100 g de cassonade

1. Mettez la farine dans une terrine.

2. Ajoutez le sel et le sucre, le beurre, l'eau de vie, la cannelle, les jaunes d'œufs.

3. Délayez progressivement le tout avec du lait tiède, pour obtenir une pâte sans grumeaux.

4. Ajoutez très doucement au mélange les blancs d'œufs battus en neige.

5. Laissez cuire 3 à 4 mn (selon la recette p. 258).

6. Servez les gaufres saupoudrées de cassonade.

Variante :

Vous pouvez remplacer l'eau de vie par du rhum brun, du cognac...

GAUFRES FINES FOURRÉES

(pâte épaisse sans levure)

Facile
Bon marché
Préparation : 30 mn
+ 1 nuit repos
20 mn pour le fourrage

- 500 g de farine tamisée
- 500 g de beurre
- 3 œufs
- 1/2 tasse d'eau
- 1 pincée de sel
- 3 cuil. à café de sucre
semoule

Fourrage :
- 75 g de beurre
- 125 g de sucre glace
- 1/4 de verre de rhum

1. Dans une terrine, travaillez le beurre amolli et la farine.

2. A part, dans deux bols, séparez les blancs des jaunes d'œufs. Mélangez avec les jaunes, l'eau, le sel et le sucre. Ajoutez cette préparation au beurre et à la farine. Remuez bien pour que la pâte soit homogène.

3. Laissez reposer jusqu'au lendemain.

4. Battez les blancs d'œufs en neige et intégrez-les doucement dans la pâte.

5. Étalez la pâte au rouleau.

6. Découpez des gaufres.

7. Laissez cuire 3 à 4 mn selon la recette p. 258.

8. Quand les gaufres sont cuites, les réunir deux par deux avec le fourrage suivant au centre :
travaillez le beurre pour le ramollir, ajoutez le sucre et le rhum. Fouettez bien pour rendre la crème onctueuse.

GAUFRES LÉGÈRES
(pâte avec levure)

Facile
Bon marché
Préparation : 35 mn

POUR 18 GAUFRES :

- **250 g de farine tamisée**
- **15 g de levure de boulanger ou 1 sachet de levure chimique**
- **4 œufs**
- **1 pincée de sel**
- **125 g de beurre**
- **1/2 l de lait**
- **sucre semoule (facultatif)**

Garniture :

- **100 g de sucre semoule**

1. Faites tiédir le lait, ajoutez le beurre pour qu'il fonde doucement.

2. Dans une terrine, émiettez la levure dans la farine.

3. Dans un bol, séparez les jaunes des blancs. Ajoutez à la farine les jaunes d'œufs, versez peu à peu le lait tout en délayant la pâte.

4. Laissez reposer 1 heure dans une pièce tiède, terrine couverte. Incorporez à ce moment les blancs d'œufs battus en neige.

5. Mélangez bien la pâte pour qu'elle soit très lisse.

6. Faites cuire 2 à 3 mn selon la recette page 258.

7. Servez les gaufres saupoudrées de sucre en poudre, ou recouvertes de confiture ou de miel.

GAUFRES AU CARAMEL

Facile
Bon marché
Préparation : 35 mn
+ 20 mn
pour la sauce caramel

POUR 18 GAUFRES :

Pâte classique :

- 250 g de farine tamisée
- 15 g de levure de boulanger ou
1 sachet de levure chimique
- 4 œufs
- 1 pincée de sel
- 125 g de beurre
- 1/2 l de lait tiède
- sucre semoule (facultatif)

Sauce au caramel :

- 500 g de sucre semoule
- 1/2 l de crème fraîche non acide
- 100 g de noisettes hachées

1. Dans la casserole sur feu doux, versez un quart du sucre. Remuez avec une cuillère en bois. Dès que le sucre est liquide, ajoutez le restant en remuant toujours pour qu'il n'y ait pas de grumeaux. La cuisson dure environ 5 mn.

2. Retirez du feu. Laissez refroidir et incorporez peu à peu la crème fraîche bouillie ou simplement de l'eau. En refroidissant, la crème épaissit. Ajoutez du lait ou de l'eau pour obtenir une consistance très liquide. Ajoutez enfin les noisettes hachées.

3. Faites vos gaufres selon la recette page 258.

4. Recouvrez les gaufres de sauce caramel.

Variante :

Vous pouvez remplacer la sauce caramel par une crème caramel en boîte.

GAUFRES AU CHOCOLAT

Facile
Bon marché
Préparation : 35 mn
+ 20 mn pour la mousse

POUR 18 GAUFRES :

Pâte classique :

- 250 g de farine tamisée
- 15 g de levure de boulanger ou 1 sachet de levure chimique
- 4 œufs
- 1 pincée de sel
- 125 g de beurre
- 1/2 l de lait tiède
- sucre semoule (facultatif)

Garniture :

mousse au chocolat

- 2 œufs
- 50 g de chocolat à croquer
- 25 g de beurre
- 50 g de raisins secs comme décoration

Faites une mousse au chocolat :

1. Séparez les jaunes des blancs. Battez les blancs en neige dans une terrine assez grande.

2. Pendant ce temps, faites fondre le chocolat en morceaux dans une casserole, sur feu doux, ou au bain-marie, avec une noix de beurre. Retirez du feu dès que le chocolat est ramolli. Incorporez vigoureusement les jaunes, un par un pour ne pas les cuire, à l'aide d'une cuillère en bois.

3. Puis ajoutez les blancs en neige : mélangez d'abord un peu de blanc en neige avec le chocolat fondu dans la casserole, de façon à le rendre plus fluide. Faites l'inverse ensuite en incorporant, en deux ou trois fois, le mélange de la casserole aux blancs en neige, dans la terrine. Mélangez avec une cuillère en bois, délicatement, pour ne pas faire retomber les blancs.

4. Laissez reposer au froid un moment avant de servir.

5 Faites vos gaufres selon la recette page 258.

6. Recouvrez les gaufres de mousse bien fraîche. Parsemez le dessus de raisins secs.

Variante :

Vous pouvez remplacer la mousse au chocolat par de la sauce au chocolat (recette p. 200).

GAUFRES AU CITRON

Facile
Bon marché
Préparation : 35 mn
+ 15 mn
pour la crème au citron

POUR 18 GAUFRES :

Pâte classique :

- 250 g de farine tamisée
- 15 g de levure de boulanger ou 1 sachet de levure chimique
- 4 œufs
- 1 pincée de sel
- 125 g de beurre
- 1/2 l de lait tiède
- sucre semoule (facultatif)

Garniture pour 6 gaufres :

crème citron
- 80 g de beurre
- 200 g de sucre semoule
- 2 œufs
- 2 citrons non traités

Meringue :

- 4 blancs d'œufs
- 120 g de sucre glace (ou poudre)
- 2 pincées de sel

1. Dans une terrine, mettez le sucre et le beurre mou. Travaillez au fouet jusqu'à ce que le mélange soit blanc et mousseux.

2. Ajoutez ensuite les 2 œufs entiers et le zeste râpé des 2 citrons. Battez encore pour obtenir un mélange mousseux.

3. Faites vos gaufres selon la recette p. 258.

4. Recouvrez les gaufres de cette crème au citron.

5. Faites la meringue : montez 4 blancs d'œufs en neige avec le sel. Incorporez à l'aide d'une spatule le sucre en poudre tout à la fin.

6. Étendez la meringue sur la crème au citron. Passez quelques minutes au four.

Variantes :

La gaufre peut servir de fond de tarte léger. Vous pouvez varier les garnitures à plaisir.

GAUFRES A LA COMPOTE DE POMMES

Très facile
Bon marché
Préparation : 35 mn

POUR 18 GAUFRES :

Pâte classique :

- **250 g de farine tamisée**
- **15 g de levure de boulanger ou 1 sachet de levure chimique**
- **4 œufs**
- **1 pincée de sel**
- **125 g de beurre**
- **1/2 l de lait tiède**
- **sucre semoule (facultatif)**

Compote de pommes :

- **1 kg de pommes acidulées**
- **150 g de sucre semoule**
- **1/4 de l d'eau**
- **1 zeste de citron**
- **1 clou de girofle**

Garniture :

- **10 fraises fraîches**

1. Pelez et évidez les pommes. Coupez-les en quartiers. Mettez-les dans une casserole avec l'eau, le sucre, le zeste de citron et le clou de girofle.

2. Faites cuire 10 mn à feu doux.

3. Remuez le mélange et écrasez bien les pommes avec une spatule en bois.

4. Faites vos gaufres selon la recette p. 258.

5. Recouvrez les gaufres avec la compote.

6. Lavez, équeutez et coupez les fraises en deux. Décorez les gaufres avec les fraises.

Variante :

Vous pouvez ajouter de la crème fraîche légèrement battue....

GAUFRES AU COULIS DE FRUITS ROUGES

Très facile
Bon marché
Préparation : 35 mn
+ 10 mn pour le coulis

POUR 18 GAUFRES :

Pâte classique :

- **250 g de farine tamisée**
- **15 g de levure de boulanger ou 1 sachet de levure chimique**
- **4 œufs**
- **1 pincée de sel**
- **125 g de beurre**
- **1/2 l de lait tiède**
- **sucre semoule (facultatif)**

Garniture :

- **300 g de fruits rouges**
- **200 g de sucre semoule**
- **1 citron**

- **1 petit pot de crème fraîche**

1. Passez au mixeur les fruits, le sucre et le jus de citron jusqu'à obtenir une purée bien fine. Passez le mélange à travers une passoire fine.

2. Faites vos gaufres selon la recette p. 258.

3. Recouvrez les gaufres de coulis. Nappez de crème fraîche battue.

Variante :

Si vous ne possédez pas de mixeur, remplacez le coulis par de la confiture délayée dans un peu d'eau, ou par des fruits rouges cuits dans un peu de sucre.

GAUFRES A LA CRÈME ANGLAISE

Difficile
Bon marché
Préparation : 35 mn
+ 40 mn
pour la crème anglaise

POUR 18 GAUFRES :

Pâte classique :

- 250 g de farine tamisée
- 15 g de levure de boulanger ou 1 sachet de levure chimique
- 4 œufs
- 1 pincée de sel
- 125 g de beurre
- 1/2 l de lait tiède
- sucre semoule (facultatif)

Crème anglaise :

- 2,5 dl de lait (1/4 de l)
- 100 g de sucre semoule
- 3 jaunes d'œufs
- 1,5 dl de crème fraîche non acide
- 1/2 gousse de vanille

Garniture :

- 100 g de noisettes et amandes

1. Faites bouillir le lait avec la moitié du sucre, et la moitié de la gousse de vanille fendue dans la longueur.

2. Dès l'ébullition commencée, enlevez la casserole du feu et laissez infuser la vanille pendant 10 mn, à couvert.

3. Fouettez, avec un batteur à vitesse moyenne, les jaunes d'œufs avec la moitié du sucre restant pour obtenir un mélange blanc et mousseux.

4. Remettez le lait vanillé sur le feu.

5. Lorsque le lait est bouillant, versez-en un peu sur les jaunes d'œufs battus avec le sucre et fouettez vigoureusement.

6. Versez alors le mélange obtenu dans la casserole de lait, placée sur feu doux et remuez sans arrêt avec la spatule de bois.

7. La crème obtenue ne doit surtout pas bouillir. Surveillez attentivement sa cuisson. Dès qu'elle commence à épaissir, soulevez la spatule à l'horizontale, et avec l'index, faites un trait qui reste marqué nettement quand la crème est prise.

8. Retirez du feu, enlevez la vanille et ajoutez la crème fraîche en tournant sans arrêt.

9. Faites refroidir 30 mn environ la préparation, en la remuant à la spatule de bois de temps en temps, afin d'éviter la formation d'une pellicule.

10. Hachez grossièrement les noisettes et amandes décortiquées.

11. Faites vos gaufres selon la recette p. 258.

12. Recouvrez les gaufres avec la crème anglaise. Décorez avec les fruits secs hachés.

GAUFRES AUX ÉPICES

Très facile
Raisonnable
Préparation : 35 mn

POUR 18 GAUFRES :

Pâte classique :

- **250 g de farine tamisée**
- **15 g de levure de boulanger ou 1 sachet de levure chimique**
- **4 œufs**
- **1 pincée de sel**
- **125 g de beurre**
- **1/2 l de lait tiède**
- **sucre semoule (facultatif)**

Garniture pour 6 gaufres :

- **macis - noix muscade - cannelle - anis-**
- **100 g de cassonade**

1. Pilez finement toutes les épices.

2. Mélangez bien à la cassonade.

3. Faites les gaufres, selon la recette p. 258.

4. Saupoudrez les gaufres du mélange.

Note : le choix des épices et leur quantité dépendent de votre goût.

GAUFRETTES FOURRÉES

Facile
Bon marché
Préparation : 20 mn
+ 6 mn pour le fourrage

POUR 18 GAUFRETTES :

- **250 g de farine tamisée**
- **100 g de sucre semoule**
- **125 g de beurre fondu**
- **3 œufs**
- **1 cuil. à café de rhum**

Fourrage :

- **50 g de beurre**
- **2 cuil. à soupe de lait**
- **1 sachet de sucre vanillé**
- **250 g de sucre glace**

1. Mettez le beurre dans une casserole avec le lait et le sucre vanillé.

2. Faites chauffer à feu doux sans laissez bouillir.

3. Retirez du feu et ajoutez le sucre glace.

4. Faites vos gaufrettes selon la recette page 260.

5. Laissez refroidir et fourrez les gaufrettes avec la crème.

Variantes :

Vous pouvez remplacer cette crème rapide par de la mousse au chocolat (recette page 270), de la crème anglaise (recette page 278).

GAUFRES AU FROMAGE BLANC

Facile
Bon marché
Préparation : 35 mn

POUR 18 GAUFRES :

Pâte classique :

- 250 g de farine tamisée
- 15 g de levure de boulanger ou 1 sachet de levure chimique
- 4 œufs
- 1 pincée de sel
- 125 g de beurre
- 1/2 l de lait tiède
- sucre semoule (facultatif)

Garniture pour 6 gaufres :

- 150 g de fromage blanc
- 3 cuil. à soupe de sucre semoule
- 1 sachet de sucre vanillé
- 6 cuil. à café de gelée de fruits rouges

1. Battez le fromage blanc avec le sucre en poudre et le sucre vanillé.

2. Faites vos gaufres selon la recette page 258.

3. Recouvrez les gaufres avec la préparation.

4. Ajoutez au centre une cuillère de gelée rouge.

Variante :

La garniture peut être réalisée en version salée (recette pâte à gaufres salée p. 294) avec des fines herbes ajoutées au fromage blanc.

GAUFRES AUX FRUITS CONFITS

Facile
Bon marché
Préparation : 35 mn
+ 25 mn pour la garniture

POUR 18 GAUFRES :

Pâte classique :

- **250 g de farine tamisée**
- **15 g de levure de boulanger ou 1 sachet de levure chimique**
- **4 œufs**
- **1 pincée de sel**
- **125 g de beurre**
- **1/2 l de lait tiède**
- **sucre semoule (facultatif)**

Garniture pour 6 gaufres :

- **1/4 de l de lait**
- **2 œufs**
- **50 g de sucre semoule**
- **20 g de fécule ou de maïzena**
- **1 sachet de sucre vanillé**
- **100 g de fruits confits**

1. Séparez les jaunes des blancs d'œufs.

2. Dans une terrine travaillez les jaunes d'œufs avec le sucre et la farine. Délayez avec le lait bouillant.

3. Remettez dans une casserole. Faites épaissir en tournant sur feu doux jusqu'au premier bouillon. Ajoutez le sucre vanillé.

4. Battez les blanc d'œufs en neige. Versez la crème bouillante en tournant doucement sur les 2 blancs d'œufs battus en neige. Incorporez la moitié des fruits confits hachés finement.

5. Laissez refroidir.

6. Faites vos gaufres selon la recette page 258.

7. Recouvrez les gaufres de cette crème et décorez avec les fruits confits restants.

GAUFRES A LA GLACE

Facile
Raisonnable
Préparation : 35 mn + 1 h
pour la glace au chocolat
(+ froid)

POUR 18 GAUFRES :

Pâte classique :

- 250 g de farine tamisée
- 15 g de levure de boulanger ou 1 sachet de levure chimique
- 4 œufs
- 1 pincée de sel
- 125 g de beurre
- 1/2 l de lait tiède
- sucre semoule (facultatif)

Garniture :

glace au chocolat (recette p. 112)
Pour 1/2 litre de glace :
- 3,5 dl de lait
- 150 g de sucre semoule
- 3 jaunes d'œufs
- 1,5 dl de crème fraîche
- 40 g de cacao amer
- 1/2 gousse de vanille

Décoration :

meringue (recette p. 150)
- 4 blancs d'œufs
- 120 g de sucre glace
- 2 pincées de sel

1. Faites vos gaufres selon la recette p. 258.

2. Couvrez les gaufres d'une boule de glace au chocolat.

3. Décorez avec la meringue.

Variantes :

Avec tous les parfums de glaces et toutes leurs sauces, la gaufre devient alors un délicieux biscuit pour dessert glacé.

GAUFRES AUX MARRONS

Très facile
Bon marché
Préparation : 35 mn

POUR 18 GAUFRES :

Pâte classique :

- 250 g de farine tamisée
- 15 g de levure de boulanger ou 1 sachet de levure chimique
- 4 œufs
- 1 pincée de sel
- 125 g de beurre
- 1/2 l de lait tiède
- sucre semoule (facultatif)

Garniture pour 6 gaufres :

- 6 cuil. à soupe de crème de marrons
- 12 petits suisses
- 6 barres de chocolat

1. Mélangez la crème de marrons et les petits suisses pour obtenir une crème lisse.

2. Râpez finement le chocolat (avec une râpe à fromage).

3. Faites vos gaufres selon la recette page 258.

4. Recouvrez les gaufres de crème aux marrons. Saupoudrez de chocolat râpé.

Variante :

Vous pouvez rajouter sur vos gaufres de la crème Chantilly.

GAUFRES AUX POIRES

Très facile
Raisonnable
Préparation : 35 mn

POUR 18 GAUFRES :

Pâte classique :

- **250 g de farine tamisée**
- **15 g de levure de boulanger ou 1 sachet de levure chimique**
- **4 œufs**
- **1 pincée de sel**
- **125 g de beurre**
- **1/2 l de lait tiède**
- **sucre semoule (facultatif)**

Garniture pour 6 gaufres :

- **4 poires ou 1 boîte de poires au sirop (1 kg)**
- **1/2 verre d'alcool de poires**

1. Coupez les poires en petits dés (préalablement pochées si elles sont fraîches). Faites-les macérer 1 heure dans un alcool de poires.

2. Faites les gaufres selon la recette p. 258.

3. Recouvrez les gaufres.

4. Servez très frais.

GAUFRES PROVENCALES

Facile
Bon marché
Préparation : 35 mn

POUR 18 GAUFRES :

Pâte classique salée :

- 250 g de farine
- 2 pincées de sel
- 1 pincée de sucre en poudre (pour faire dorer)
- 125 g de beurre ou d'huile
- 3 œufs
- 1/4 de l d'eau

Garniture :

- 300 g d'anchois à l'huile
- 150 g d'olives noires
- 5 tomates
- 2 oignons hachés
- thym
- 1 gousse d'ail
- huile d'olive
- poivre

1. Otez l'arête des anchois.

2. Dénoyautez et hachez grossièrement les olives.

3. Ébouillantez les tomates pour les éplucher facilement. Hachez les oignons.

4. Dans une casserole, mettez l'huile d'olive et faites dorer les oignons, rajoutez les tomates et la gousse d'ail.

5. Sur feu doux, réduisez le mélange en purée.

6. Ajoutez les olives et les anchois hors du feu.

7. Poivrez, saupoudrez de thym.

8. Faites vos gaufres selon la recette p. 258.

9. Recouvrez les gaufres.

Variantes :

Les gaufres peuvent servir de pâte à pizza aux champignons et fines herbes, au fromage...

GAUFRES AU BEURRE D'ANCHOIS

Très facile
Bon marché
Préparation : 35 mn
+ 15 mn pour la garniture

POUR 18 GAUFRES :

Pâte salée :

- **250 g de farine**
- **2 pincée de sel**
- **1 pincée de sucre en poudre (pour faire dorer)**
- **125 g de beurre ou d'huile**
- **3 œufs**
- **1/4 de l d'eau**

Garniture pour 6 gaufres :

- **200 g de beurre**
- **1 citron**
- **4 cuil. à café de crème d'anchois**
- **poivre**

1. Dans une terrine, malaxez le beurre avec la crème d'anchois et le jus de citron.

2. Faites les gaufres selon la recette p. 258.

3. Tartinez les gaufres avec le beurre. Poivrez.

4. Décorez avec un anchois roulé.

Variante :

Vous pouvez servir les gaufres avec un beurre à la moutarde (2 cuillères à café de moutarde pour 200 g de beurre), un beurre aux échalotes... et découper les gaufres en petits carrés pour les servir froides à l'apéritif.

CROQUE-MONSIEUR CLASSIQUE

Très facile
Bon marché
Préparation : 10 mm

POUR 2 CROQUE-MONSIEUR :

■ 4 tranches de pain de mie d'épaisseur moyenne
■ 1 tranche épaisse de jambon de Paris
■ 100 g de comté en lamelles, 20 g de comté râpé
■ poivre
■ beurre

1. Beurrez une face de chaque tranche de pain.

2. Découpez le fromage en fines lamelles.

3. Répartissez la moitié du fromage sur la face beurrée de deux tranches de pain.

4. Coupez la tranche de jambon en deux.

5. Posez le jambon sur le fromage.

6. Poivrez.

7. Recouvrez avec la moitié de comté en lamelles et avec les tranches de pain qui restent, côté beurré en contact avec le fromage.

8. Disposez le fromage râpé sur la tranche supérieure du croque-monsieur pour le faire gratiner.
Cela est facultatif.

9. Faites chauffer votre gril pendant cinq minutes environ. Dès que le voyant lumineux s'éteint, vous pouvez placer les croque-monsieur sur les plaques. Refermez l'appareil et laissez cuire deux à trois minutes selon le degré de cuisson désiré.

CROQUE-MADAME

Très facile
Bon marché
Préparation : 10 mm

POUR 2 CROQUE-MADAME :

■ 4 tranches de pain de mie d'épaisseur moyenne
■ 1 tranche épaisse de jambon de Paris
■ 100 g de comté
■ poivre
■ beurre
■ 2 œufs

1. Faites vos croque-monsieur selon la recette ci-dessus.

2. A part, faites cuire les deux œufs au plat dans du beurre, en ôtant un peu de blanc avant la cuisson.

3. Déposer-les à cheval sur chaque croque-monsieur.

Croque-monsieur et croque-madame sont délicieux servis avec du Ketchup.

CROQUE ANGLAIS

Très facile
Bon marché
Préparation : 10 mm

**POUR 2 CROQUE
ANGLAIS :**

- 4 tranches de pain de mie d'épaisseur moyenne
- 6 tranches fines de langue écarlate, de bacon ou de poitrine fumée maigre
- 6 tranches fines de chester
- poivre
- beurre

1. Beurrez une face de chaque tranche de pain.

2. Posez une tranche de chester sur la face beurrée de 2 tranches de pain.

3. Placez la langue, le bacon ou la poitrine sur le fromage.

4. Poivrez.

5. Recouvrez avec le chester et les tranches de pain qui restent, le côté beurré en contact avec le fromage.

6. Déposez une tranche de chester sur la face supérieure du croque en contact avec la plaque chauffante.

7. Faites cuire selon la recette p. 298.

Vous pouvez manger les croque anglais avec de la mayonnaise et des tomates crues en quartiers.

CROQUE AUX CHAMPIGNONS

Très facile
Bon marché
Préparation : 10 mm

**POUR 2 CROQUE AUX
CHAMPIGNONS :**

- 4 tranches de pain de mie d'épaisseur moyenne
- 15 g de beurre
- 40 g de farine
- 1/4 de litre d'eau
- 10 champignons de Paris moyens
- 100 g de gruyère râpé
- sel
- poivre

1. Otez le bout terreux des champignons de Paris et lavez-les. Coupez-les en 2 ou en 4.

2. Faites une sauce blanche en faisant fondre le beurre dans une casserole. Ajoutez la farine.

3. Délayez et laissez cuire 2 à 3 minutes. Versez l'eau chaude progressivement en remuant pour éviter les grumeaux. Salez. Poivrez.

4. Versez les champignons dans la sauce blanche. Laissez cuire quelques minutes.

5. Versez la préparation sur deux tranches de pain. Saupoudrez de gruyère râpé. Recouvrez des tranches de pain qui restent.

6. Disposez le reste de fromage râpé sur la tranche supérieure du croque pour le faire gratiner.

7. Faites cuire selon la recette p. 298.

CROQU' AU CHÈVRE

Très facile
Bon marché
Préparation : 10 mm

POUR 2 CROQU'AU CHÈVRE :

- **4 tranches de pain de mie d'épaisseur moyenne**
- **4 cuillères à soupe d'huile d'olive**
- **1 crottin de Chavignol ou tout autre fromage de chèvre**
- **ciboulette**
- **50 g d'olives niçoises**

1. Huilez une face de chaque tranche de pain.

2. Coupez le fromage en lamelles. Déposez-les sur la face huilée de 2 tranches de pain.

3. Saupoudrez de ciboulette hachée et poivrez.

4. Recouvrez avec les tranches de pain qui restent, le côté huilé en contact avec le fromage.

5. Faites cuire selon la recette p. 298.

6. Décorez avec les olives, une lamelle de fromage de chèvre.

CROQU' HAMBURGERS

Très facile
Bon marché
Préparation : 10 mm

POUR 2 CROQU' HAMBURGERS :

- **4 tranches de pain de mie d'épaisseur moyenne**
- **200 g de steack haché**
- **2 oignons**
- **2 tranches fines de comté**
- **50 g de fromage râpé**
- **sel, poivre**
- **huile d'arachide**
- **concombres à la russe**

1. Hachez les oignons. Mélangez au steack haché. Salez, poivrez.

2. Partagez la viande en deux. Reformez-la en 2 steacks. Faites-la cuire à feu vif dans une poêle préalablement huilée.

3. Déposez la viande cuite à votre goût sur deux tranches de pain.

4. Recouvrez de fromage et des tranches de pain qui restent.

5. Disposez le fromage râpé restant sur la tranche supérieure du croque pour le faire gratiner.

6. Faites cuire selon la recette p. 298.

7. Servez avec les concombres à la russe, coupés en deux dans le sens de la longueur, et avec de l'oignon cru coupé en tranches fines.

CROQUE HAWAÏEN

Très facile
Bon marché
Préparation : 10 mm

POUR 2 CROQUE HAWAÏEN :

■ **4 tranches de pain de mie d'épaisseur moyenne**
■ **des restes de blanc de poulet ou de rôti de veau froid**
■ **2 tranches d'ananas en boîte**
■ **poivre**
■ **beurre**

1. Beurrez une face de chaque tranche de pain.

2. Coupez l'ananas en petits quartiers.

3. Répartissez la moitié de l'ananas sur la face beurrée de 2 tranches de pain.

4. Coupez le poulet ou le veau en lamelles.

5. Posez la viande sur l'ananas.

6. Poivrez.

7. Recouvrez avec l'ananas et les tranches de pain qui restent, le côté beurré en contact avec l'ananas.

8. Faites cuire selon la recette p. 298.

CROQUE-PIQUANT

Très facile
Bon marché
Préparation : 10 mm

POUR 2 CROQUE-PIQUANT :

■ **4 tranches de pain de mie d'épaisseur moyenne**
■ **2 tranches de porc rôti froid**
■ **1/6 de litre de bouillon**
■ **25 g de beurre**
■ **25 g de farine**
■ **30 g d'oignons**
■ **sel, poivre**
■ **30 g de câpres**
■ **25 g de cornichons**
■ **vinaigre**
■ **50 g de gruyère râpé**

1. Pour faire la sauce, faites dorer dans le beurre, les oignons en quartiers et retirez-les.

2. Versez la farine, faites-la brunir en tournant avec une cuillère en bois.

3. Mouillez avec le liquide en continuant de tourner régulièrement pour éviter les grumeaux. Remettez les oignons. Salez, poivrez.

4. Laissez cuire à feu doux 10 minutes.

5. Ajoutez les cornichons coupés en rondelles, les câpres et un filet de vinaigre.

6. Recouvrez deux tranches de pain avec cette sauce. Ajoutez la viande.

7. Posez dessus les deux tranches de pain qui restent.

8. Disposez le fromage râpé sur la tranche supérieure du croque pour le faire gratiner.

9. Faites cuire selon la recette p. 298.

CROQUE-POISSON

Très facile
Bon marché
Préparation : 10 mm

POUR 2 CROQUE-POISSON :

- ■ **4 tranches de pain mie d'épaisseur moyenne**
- ■ **15 g de beurre**
- ■ **40 g de farine**
- ■ **1/4 de litre de lait**
- ■ **2 tranches de poisson blanc (cabillaud, lieu, etc.)**
- ■ **50 g de fromage râpé**
- ■ **sel**
- ■ **poivre**

1. Faites pocher dix minutes le poisson dans de l'eau salée.

2. Faites une sauce blanche en faisant fondre le beurre dans une casserole. Ajoutez la farine.

3. Délayez et laissez cuire deux à trois minutes. Versez le lait chaud progressivement en remuant pour éviter les grumeaux. Salez, poivrez.

4. Mettez le poisson dans la sauce blanche.

5. Versez la préparation sur deux tranches de pain. Recouvrez des tranches de pain qui restent.

6. Disposez le fromage râpé sur la tranche supérieure du croque pour le faire gratiner.

7. Faites cuire selon la recette p. 298.

CROQUE-ROQUEFORT

Très facile
Bon marché
Préparation : 10 mm

POUR 2 CROQUE-ROQUEFORT :

- ■ **4 tranches de pain de mie d'épaisseur moyenne**
- ■ **50 g de roquefort**
- ■ **50 g de beurre**
- ■ **8 noix**

1. Épluchez les noix. Hachez-les grossièrement.

2. Beurrez une face de chaque tranche de pain.

3. Mélangez 25 g de beurre avec le roquefort et les noix.

4. Déposez le mélange sur la face beurrée des 2 tranches de pain.

5. Recouvrez avec les tranches de pain qui restent.

6. Déposez une cuillère de roquefort sur la face supérieure du croque pour qu'il gratine.

7. Faites cuire selon la recette p. 298.

INDEX DES RECETTES

PAR ORDRE ALPHABÉTIQUE

INDEX DES RECETTES

CLASSEMENT PAR APPAREIL

Les photos sont du STUDIO 111, Paris.
La mise en page a été exécutée par les Studios Gérard, Paris.
Imprimé en Italie sur les presses de : Istituto Italiano d'Arti Grafiche - Bergamo
Dépôt légal : 2ᵉ trimestre 1980
I.S.B.N. : 2-903101-15-9

BRUNETOILE, 17, rue des Dames-Augustines, 92200 NEUILLY
Téléphone : 758.66.00
Télex : 610.461 F.